1쪽
안상미
하퍼스 바자 Harper's
Bazaar, 2021.8.
모델: 이혜승
에디터: 이진선
스타일링: 김선영, 김지수
헤어: 조미연
메이크업: 정수연
플로리스트: 김슬기
의상: 선우

UNCOMMERCIAL

4-5쪽
홍장현
2020, GQ, 2020.3.
모델: 에스팀 모델 38인
에디터: 이연주, 신혜지
헤어: 임안나, 이혜진
메이크업: 장소미, 문지원

4-5쪽
홍장현
2020, GQ, 2020.3.
모델: 에스팀 모델 38인
에디터: 이연주, 신혜지
헤어: 임안나, 이혜진
메이크업: 장소미, 문지원

언커머셜:
한국 상업사진, 1984년 이후

UNCOMMERCIAL:
Korean Commercial Photography,
1984 and Beyond

8-9쪽
목정욱
코스 COS, 2021
모델: 수민
스타일리스트: 최자영
크리에이티브 디렉터: 이용정
헤어·메이크업: 이은혜

8-9쪽
목정욱
코스 COS, 2021
모델: 수민
스타일리스트: 최자영
크리에이티브 디렉터: 이용정
헤어·메이크업: 이은혜

편집위원회 인사말   15
편집의 말   31
기획의 말   67
연표   239
작가 소개   323

032c

Post K-pop CL
SHYGIRL & the Gaze
OMA Future Forecast
Goth DUA LIPA

39th Issue
Berlin Summer 2021

032c

D€15 EU€15 US$19.90
www.032c.com

00039

4 197236 715009

12쪽
목정욱
032c, 2021
모델: 씨엘(CL)
에디터: 요르크 코흐
스타일리스트: 김재욱, 최보라
헤어: 이혜영
메이크업: 박태윤
프로젝트 매니저: 문호연

13쪽
장덕화
누메로 러시아
Numéro Russia, 2021.9.
모델: 다샤 얀
에디터·스타일리스트: 박노이
헤어: 광효
메이크업: 김태영

편집위원회 인사말

16-17쪽
목정욱
하퍼스 바자 Harper's
Bazaar, 2021.2.
모델: 정호연
에디터: 서동범
헤어: 장혜연
메이크업: 오가영

16-17쪽
목정욱
하퍼스 바자 Harper's
Bazaar, 2021.2.
모델: 정호연
에디터: 서동범
헤어: 장혜연
메이크업: 오가영

일민미술관은 우리가 경험하는 시각문화를 통해 시대를
이해하는 것을 의제로 삼아 2004년부터 '일민시각문화'를
발간해 왔습니다. 일민시각문화 11『언커머셜: 한국 상업사진,
1984년 이후』는 2022년 개최된 일민미술관의 기획 전시에
기반하여 동시대 한국의 시각문화 중 상업사진의 영역을
탐구하기 위한 자료로 엮었습니다.

　《언커머셜: 한국 상업사진, 1984년 이후》는 사진가 29인을
초대해 1980년대부터 2020년대까지 40여 년 동안 한국
상업사진이 겪어온 변화의 궤적을 살핀 전시입니다. 전시에서
기준으로 설정한 1984년은 산업과 기술, 매체, 인적 인프라의
다양한 분야에서 업계의 상징적인 변화가 두드러진 해입니다.
이후 한국 상업사진은 급격한 경제 성장과 대중문화의 발달에
힘입어 양적인 확산을 이루었고, 소비자 개인의 기호와 취향을

21쪽
목정욱
누메로 러시아
Numéro Russia, 2020
모델: 정호연
스타일리스트: 최자영
헤어: 이혜영
메이크업: 원조연

적극적으로 투영하면서 질적인 성장을 함께 도모했습니다.

　패션 사진은 동시대 한국의 시각문화가 상업사진이라는 틀 속에서 독보적으로 두드러진 분야입니다. '충무로 시대'를 연원로 작가들이 패션 사진의 범주를 개척한 이래, 후속 세대의 도전과 실험이 사진의 세계를 미시적으로 확장할 수 있는 기회를 마련했습니다. 2000년대는 이러한 역사를 조망할 수 있는 중요한 변곡점으로 한국 패션 사진이 세계적인 흐름과 결합해 다채로운 주제와 형식을 도입하며 독창성을 확보한 시기입니다.

　일민시각문화 11이 엮은 자료는 단순히 소비를 촉진하는 이미지에서 벗어나 예술의 지형에서 결집하는 상업사진을 유기적으로 살필 기회를 만들어냅니다. 이러한 성장의 역사를 집약하는 이미지 묶음을 통해 지금 우리 시대가 의지하는

24-25쪽
윤지용
더 스케이트 The Skate,
Dazed, 2021.6.
에디터: 이종현
헤어: 오지혜
메이크업: 유혜수

24-25쪽
윤지용
더 스케이트 The Skate,
Dazed, 2021.6.
에디터: 이종현
헤어: 오지혜
메이크업: 유혜수

시각성의 일면을 확인할 수 있기를 기대합니다. 일민미술관은
'일민시각문화'가 여러 예술 담론의 교류를 견인하는 귀중한
기회가 되기를 바라며, 앞으로도 독창적인 전시와 출판물을
통해 시각문화 연구의 활성화에 기여할 것입니다.

2023년 3월
일민시각문화 편집위원회
일민미술관 관장 김태령

28-29쪽
윤지용
더 스케이트 The Skate,
Dazed, 2021.6.
에디터: 이종현
헤어: 오지혜
메이크업: 유혜수

28-29쪽
윤지용
더 스케이트 The Skate,
Dazed, 2021.6.
에디터: 이종현
헤어: 오지혜
메이크업: 유혜수

편집의 말

thisisneverthat®
ADJUST
MODE
LIGHT ON/OFF
START•STOP
LIGHT
TU 3-31
PM
4:12 55
ELECTRO LUMINESCENT BACKLIGHT
ALARM
SHOCK RESIST
CHRONO

32쪽
김민태(thisisneverthat)
뉴발란스 2002R
New Balance 2002R,
2020

33쪽
김민태(thisisneverthat)
지샥 DW-5600TNT-1DR
G-SHOCK DW-5600TNT-
1DR, 2020

일민시각문화 11『언커머셜: 한국 상업사진, 1984년 이후』는
한국 상업사진의 발전과 도약을 되돌아보고 그 미학적
성취를 조명하고자 기획되었다. 1909년『대한민보』에
최초의 광고사진이 게재된 이래 한 세기를 지나오며 한국
상업사진은 양적 팽창과 질적 향상을 거듭했다. 새로운
기술과 매체의 출현, 선구자들의 실험적인 태도가 그 변화를
추동한 가운데 한국 상업사진은 여러 차례 중요한 전환기를
맞는다. 책은 1980년대를 현대적 의미의 상업사진이 한국에
성립한 시기로 파악하고 당대의 실천과 그 이후의 경향을
묶었다. 구체적으로는 1980년대에 촉진된 문화·사회적
변화와 2000년대에 두드러진 기술적 전환을 경유해 성립한
상업사진의 스타일을 탐색하기 위하여, 같은 이름의 전시
《언커머셜(UNCOMMERCIAL): 한국 상업사진, 1984년

36쪽
김민태(thisisneverthat)
파라부트 미카엘 Paraboot
Michael, 2018

37쪽
김민태(thisisneverthat)
스페셜 게스트
Special guest, 2017

이후》(일민미술관, 2022)가 소개한 사진을 중심으로 사진가 29인의 작품 247점을 수록했다.

　이 책이 기준으로 제시하는 1984년은 『월간 멋』이 글로벌한 패션 무드를 서울에 소개한 해다. 1984년 5월, 동아일보는 박정수(발행인)와 안상수(아트 디렉터)의 『멋』(1983.10.–1984.2.)을 인수하여 『월간 멋』으로 개간한다. 『월간 멋』은 해외 라이선스지가 전무했던 1980년대, 프랑스 패션 잡지 『마리끌레르(Marie Claire)』와 제휴해 패션, 피처, 광고 등의 동향을 시차 없이 소개하고 활자 중심의 '읽는 잡지'를 이미지 중심의 '보는 잡지'로 재편했다. 같은 해, 애플사의 매킨토시는 광고 제작 공정을 전산화한다. 현장에서 사진 촬영 결과를 모니터링할 수 있게 되자 제작 과정에서 여러 전문가가 분업하거나 협업하는 양상이 변화하기

40쪽 위
김민태(thisisneverthat)
레이크 온 파이어 Lake on
Fire, 2015, 스틸
음악: 썸데프

40쪽 아래
김민태(thisisneverthat)
소프트 워크 Soft Work,
2020, 스틸
음악 프로듀서: 콴돌
드럼: 양정훈

41쪽 위
김민태(thisisneverthat)
틴에이지 피싱 클럽
Teenage Fishing Club,
2019, 스틸
음악: 썸데프
3D 애니메이션: 조아형

41쪽 아래
김민태(thisisneverthat)
샌프란시스코
San Francisco, 2019,
스틸

시작했다. 같은 무렵, 유학을 통해 최신 장비에 대한 경험과 이해를 습득한 사진가들이 귀국한다. 이들은 광고주의 시안에 의존해 제한적으로 진행되던 촬영에서 탈피해 기획부터 소품 선택까지 전 과정을 주도하며 사진가이자 아트 디렉터로서의 역할을 재정립했다. 김중만, 김영수, 구본창, 김용호 등이 그 중심에서 활약한다.

　　상업사진은 넓은 의미에서 재화 또는 서비스의 판매를 목적으로 촬영한 사진을 일컫는다. 이미지라는 형식을 빌려 상품 가치를 기호화하고 상품에 적절한 의미를 부여함으로써 해독자의 욕구를 자극한다. 때문에 상업사진은 흔히 세속적인, 현실에 영합하는 사진으로 규정된다. 영리 목적의 정향과 시장의 생리에 따라 짧은 호흡으로 유행에 맞추어 제작된다는 특성은 시각예술 분야에서 상업사진에 대한 평가를 저하하는

44-45쪽
목정욱
에스콰이어 Esquire, 2018
모델: 수민, 박태민
에디터: 고동휘
헤어·메이크업: 장해인

44-45쪽
목정욱
에스콰이어 Esquire, 2018
모델: 수민, 박태민
에디터: 고동휘
헤어·메이크업: 장해인

요인이기도 하다. 그러나 상업사진은 "복잡·미묘한 소비사회의 욕망을 섬세하게 투사하고 갱신하는 전장으로, 그것을 특유의 미적 양식으로 전환해 온 예술"이다.[1] 사진가는 자신의 연출력과 감각을 통해 소비자에게 상품을 소개하며 나아가 문화 전반을 아우르는 생활양식을 특유의 양식으로 표상하며 제안한다. 동시대 시각문화 현상에 주목해 온 일민시각문화가 11번째 주제로 한국 상업사진을 다루는 이유다.

상업사진은 제작 기법이나 분야에 따라 여러 범주로 나뉠 수 있다. 하지만 이러한 접근 방식은 문화·사회학적 측면에서는 유리한 반면 미학적 측면에서는 불충분한 지점이 있다. 예컨대 촬영 도구에 따른 양식적 특성은 시대와 무관하게 교차한다. 필름 카메라가 주류를 이룬 1990년대 초반에도 사진가들은 수공적인 방식으로 디지털 기술을 연상시키는

1. 윤율리, 「서문」, 『언커머셜: 한국 상업사진, 1984년 이후』 전시 리플릿(서울: 일민미술관, 2022)

48쪽
목정욱
에스콰이어 Esquire, 2018
모델: 수민, 박태민
에디터: 고동휘
헤어·메이크업: 장해인

49쪽
목정욱
에스콰이어 Esquire, 2018
모델: 박태민
에디터: 고동휘
헤어·메이크업: 장해인

48쪽
목정욱
에스콰이어 Esquire, 2018
모델: 수민, 박태민
에디터: 고동휘
헤어·메이크업: 장해인

49쪽
목정욱
에스콰이어 Esquire, 2018
모델: 박태민
에디터: 고동휘
헤어·메이크업: 장해인

화면을 구현했다. 마찬가지로 디지털 기반의 전환이 완료된
2000년대 이후에도 필름 카메라를 사용하거나 아날로그
기반의 기계적 감각을 복기하는 사례를 관찰할 수 있다. 인물,
요리, 자동차 등 피사체에 따라 장르를 나누는 방식 역시
모호하다. 사진가의 활동 반경은 특정 분야에 귀속되지 않으며
상업사진은 단일 제품만을 다루지 않기 때문이다. 대표적으로
에디토리얼 화보를 중심으로 전개되는 패션 사진은 상업사진의
여러 분과를 포섭한다. 패션 사진은 대중의 욕구를 탐색해
유행을 선취하고 매력적인 이미지로 제시하는데, 이러한
경향은 패션 잡지가 라이프 스타일 잡지로 자신의 영역을
확장하며 더욱 심화되었다. 따라서 책은 이미지가 환기하는
순수한 시각적 감각에 우선해 그 예술적 실천을 소개한다. 이를
요약하면 다음과 같다.

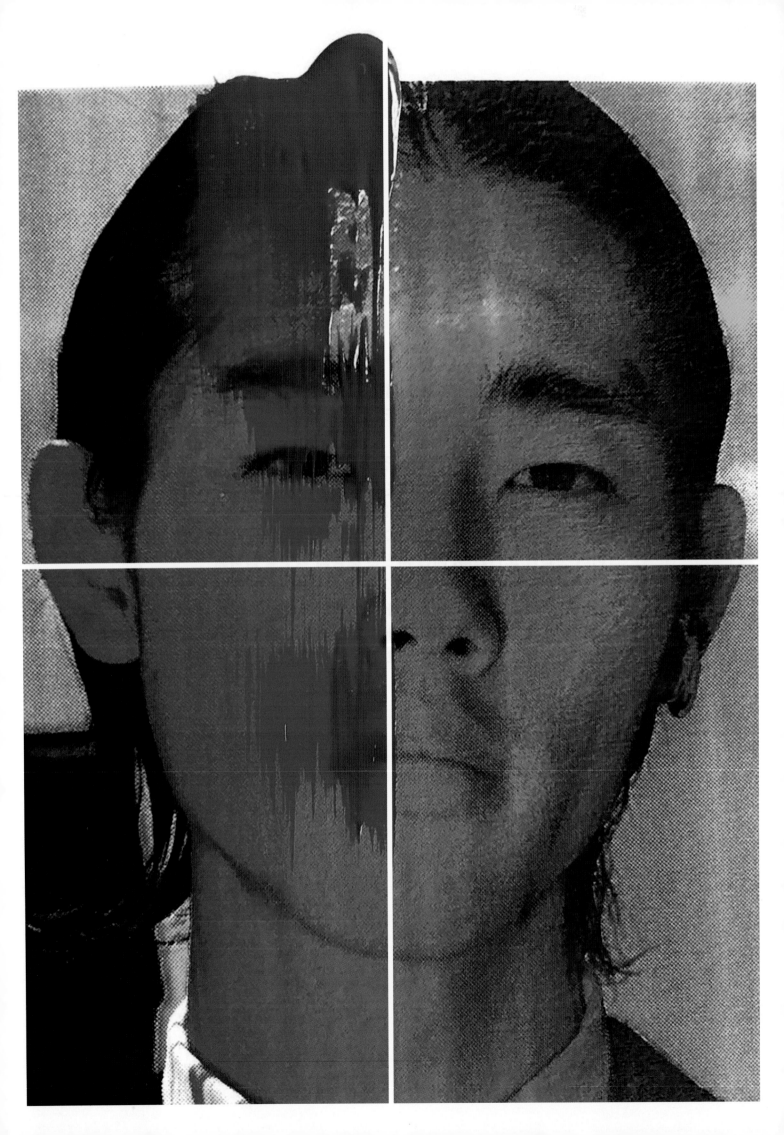

52-53쪽
목정욱
에스콰이어 Esquire, 2018
모델: 박태민
에디터: 고동휘
헤어·메이크업: 장해인

52-53쪽
목정욱
에스콰이어 Esquire, 2018
모델: 박태민
에디터: 고동휘
헤어·메이크업: 장해인

— 도시 환경과 그 안에서 살아가는 사람들의 현실을 영감의
  원천으로 삼는 스트리트 사진
— 상업사진의 연출성을 부각하거나 역이용해 인물 또는
  정물로부터 새로운 장면을 도출하는 사진
— '완벽한 연출'이라는 상업사진의 본령에서 탈피해 역전된
  자연스러움을 추구하는 사진
— 화려한 화면 구성을 매개로 상업적 자극감을 강조하는
  스펙터클한 사진
— 사진의 평면성을 탐구하며 잡지의 판형과 그래픽 요소를
  활용하는 사진
— 모바일 중심의 환경 변화에 대응해 매체 실험 및 변주를
  시도하는 사진
— 광학 장치로서 카메라의 특성에 주목해 독자적인 표현

56-57쪽
김태은
티아이포맨
T.I FOR MEN, 2019

기법을 구사하는 아날로그 기반 사진

책은 안상미의 〈하퍼스 바자 Harper's Bazaar〉(2021)부터
『월간 멋』(1984.5.–1993.3.) 사이의 시차를 가로지른다.
40여 년의 시간을 거스르며 일곱 가지 유형은 다양한
소재와 결합해 등장과 후퇴를 반복한다. 이러한 유형 분류는
상업사진이 이룩한 미학적 성취에 접근하는 한 가지 탐지
도구로 기능할 것이다. 한국 상업사진의 다채로운 시도가
지표로서의 독해 바깥에서 신선한 시각적 자극으로 향유되길
바란다.

일러두기
— 본문의 텍스트와 이미지는 각각의 규칙에 따라 배열했다.

60-61쪽
김태은
더블유 W, 2017
모델: 이효리

— 캡션은 작가명, 작품명, 매체명 및 제호, 협업자 순으로
　표기했다. 별도의 작품명이 없는 경우 매체명 혹은 연도를
　작품명으로 갈음하거나 생략했으며, 원본 필름이 유실되어
　부득이하게 실물 자료를 이미지로 변환하여 수록한 경우
　스캔본으로 별도 표기했다.
— 글, 논문, 기사는 「 」, 책, 신문, 잡지는 『 』, 작품, 영화,
　앨범은 〈 〉, 전시, 방송은 《 》로 표기했다.

　일민시각문화 편집위원회
　편집인 박활성, 윤지현

65쪽
목나정
생 로랑 Saint Laurent,
GQ, 2017.10.
모델: 김원중

65쪽
목나정
생 로랑 Saint Laurent,
GQ, 2017.10.
모델: 김원중

기획의 말

**Uncommercial Points of
Commercial Photography**

68쪽
김태은
마리끌레르
Marie Claire, 2015.3.

69쪽
김태은
마리끌레르
Marie Claire, 2015.3.
모델: 이유

1. 유행의 시대, 도시의 환영들

우리가 사는 도시는 새로운 광고들로 매일 새 옷을 갈아입는다.
고층 빌딩의 커다란 외벽, 무심코 지나는 정거장, 지하철과
버스, 번화가의 술집, 허름한 뒷골목, 아무도 없는 방의
침대 위 손바닥만 한 화면 안에서도 멋진 포즈의 모델과
상품이 찍힌 사진들을 만날 수 있다. 때로는 '최고, 최신'을
강조하는 떠들썩한 슬로건과 함께, 또 때로는 광고라는 걸
눈치채지 못할 만큼 고급스러운 이미지 속에 조심스럽게
상표를 환기시키며, 일시적이고 반복적으로 시야에 와닿는 이
사진들은 우리가 먹고 입고 쓴 모든 것들의 환영처럼 집요하게
우리를 쫓아온다. 환영은 수시로 바뀐다. 세일즈(sales)의
사명을 띠고 이 땅에 태어난 상업사진은 활동 기간이 정해져

김용호
아름다운 신세계
Beautiful New World, 2021
아트 디렉션: 김용호

김용호
아름다운 신세계
Beautiful New World, 2021
아트 디렉션: 김용호

있다. 아무리 센세이셔널한 상업사진이라도 기억되는 건
유행의 조명이 교체되는 잠깐의 시간이다. 영리를 목적으로
제작된 상업사진들은 그저 찬란하게 나타났다 잊힌 낡아버린
트렌드, 한때의 백일몽으로 취급된다. 이건 한낱 꿈일까?
"아주 정밀한 기술이 그것의 산물들에게, 손으로 그린 그림이
우리에게 결코 줄 수 없는 마법적 가치를 부여할 수 있다"[1]는
발터 벤야민의 말처럼 사진이 인간의 눈으로 인식하지 못하는
'시각적 무의식(das Optisch-Unbewußte)'의 세계를
비추는 거울이며 역사적 사건의 증거물[2]이라면 이 철 지난
상업사진들은 무엇을 비추고 또 말하려는 것일까?

　　《언커머셜(UNCOMMERCIAL): 한국 상업사진, 1984년
이후》(이하 《언커머셜》)는 상업사진이 사회를 반영하고
시대의 정신을 형성한다는 믿음을 바탕으로 한국 상업사진의

1. 발터 벤야민, 「사진의 작은　　2. 같은 책, p.59
역사」, 『기술복제시대의
예술작품 / 사진의 작은 역사
외』, 최성만 옮김(서울: 길,
2007), p.159

76쪽
김용호
아이잣바바
Izzat Baba, 2020
아트 디렉션: 김용호

77쪽
김용호
떡 하나 주면 안 잡아먹지
Give Me a Piece of Rice
Cake. Then I Will Not Eat
You, 2022

역사를 아카이빙하고 오늘날 새로운 미학적 도시경관을
산출하는 상업사진의 창작자들, 사진가와 그 협업자들의
예술적 실천을 조명한다. 사진의 복제 기능과 그 도발적
기술로 인한 예술적 가치에 대한 논쟁은 카메라가 처음 등장한
19세기부터 있어왔다. 사진의 실용적 특질로부터 멀어진
예술사진이 예술의 한 장르가 되고, 영화가 압도적 스타성으로
국제적인 명성을 쌓아가는 사이 상업사진은 세속성을 원죄로
담론의 저편으로 밀려났다. 세속적이라는 건 그 문화권의
보편적인 풍속을 띤다는 뜻이지만 상업사진은 그저 유행을
따르는 데 그치지 않는다. 보도사진이 시대별 사건의 아카이브
자료로 의미를 지닌다면 욕망을 기록하는 건 상업사진이다.
한국의 상업사진은 치열한 자본시장 안에서 양질의 전환을
이루며 변증법적 발전을 이어왔다. 여기서의 상업사진은

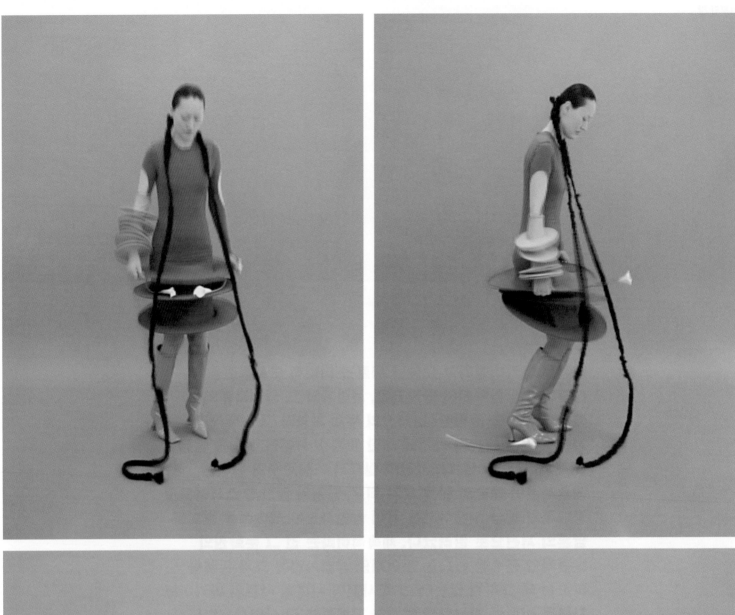

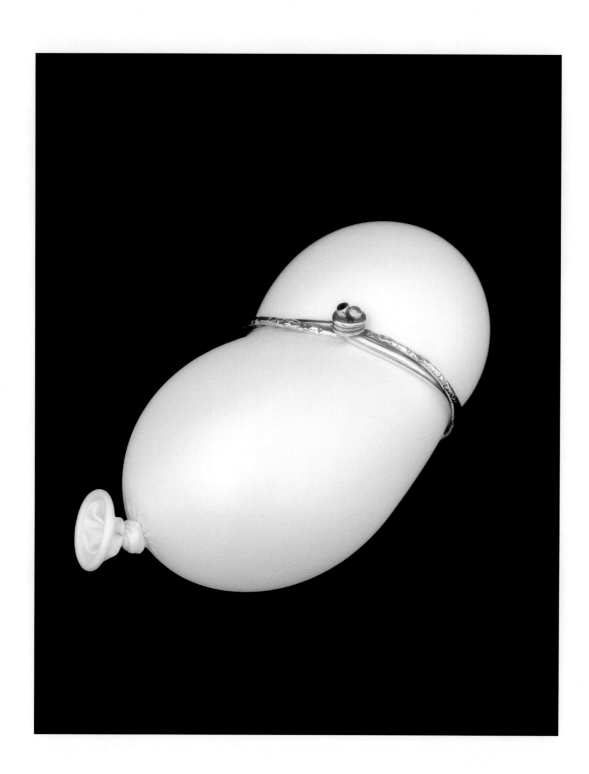

80쪽
안상미
하퍼스 바자 Harper's Bazaar, 2021.8.
모델: 이혜승
에디터: 이진선
스타일링: 김선영, 김지수
헤어: 조미연
메이크업: 정수연
플로리스트: 김슬기
의상: 선우

81쪽
안상미
스노우문 Snowmoon, 2020

상업사진 전체는 아니다. 상업사진은 광고주와 소비자가 존재한다는 전제하에 다양한 하위 범주들을 포함한다. 배달 앱의 음식 사진이나 자동차 카탈로그, 건축 인테리어 사진, 모델이 등장하거나 등장하지 않는 패션·뷰티 사진, 연예인의 초상 사진, 영화 포스터, 음반 커버 사진까지 현대의 생활양식과 문화 전반을 아우른다. 대중이라는 불특정 다수의 취향과 요구를 반영한 이 사진들은 동네 사진관의 무명 사진가부터 그 이름만으로도 상품에 빛나는 후광을 드리우는 스타 작가까지 계층을 가늠할 수 없는 많은 사진가들에 의해 다뤄진다.

《언커머셜》은 불확정적인 상업사진의 여러 갈래 중에서 한국의 패션·엔터테인먼트 사진의 작은 역사에 대해 이야기한다. 대중잡지에 수록되는 이 사진들은 멋과 꿈 같은 몽환적인 주제들을 사진이라는 신빙성 있는 이미지로

84쪽
안상미
엘르 Elle, 2019.12.
모델: 나재영
에디터: 이혜미
헤어: 이예녹
메이크업: 이숙경

85쪽
안상미
더블유 W, 2018.9.
모델: 김봉우
스타일링: 최경원
헤어: 김귀애
메이크업: 이숙경

형상화함으로써 사람들을 유혹한다. 또한 패션지, 여성지로
불리는 대중잡지는 일정 수준을 갖추었다고 판단되는 전문
사진가들을 고용함으로써 상업사진계의 등용문 역할을 한다.
특히 패션지는 상품 자체가 주제가 되는 광고 외에도 상품을
소도구 삼아 별도의 메시지를 전달하는 화보를 주요하게
다룸으로써 사진가에게 상당한 자율성을 부여한다. 무심히
걸어가는 사람들의 뒷모습을 담은 흑백 사진에서 상업적인
증거는 상품 정보가 적힌 캡션뿐이다. 노골적인 호객 행위 없이
오히려 상품을 숨김으로써 독자의 호기심을 불러일으키는
이런 '광고 같지 않은 광고'는 광고주들의 호응을 얻어 이후
'유가 화보'라는 이름으로 전개되며 매체의 주요 수익원이
된다. 한국 대중문화의 생성 초기, 1980–1990년대 실험적
패션 카탈로그에서도 이와 유사한 경향을 볼 수 있다. 잡지를

88쪽
안상미
에스콰이어 Esquire, 2018.5.
모델: 김봉우
에디터: 신은지

89쪽
안상미
더블유 W, 2019.4.
에디터: 김민지

통해 공인된 사진가들은 패션뷰티 산업뿐 아니라 영화, 음반 등
엔터테인먼트 산업 전 분야에 걸쳐 활약한다.

2. 한국 상업사진의 작은 역사

오늘날 한국 상업사진가들은 국내를 넘어 글로벌 패션
브랜드들과 작업하고 해외 사진 에이전시와 계약을 맺으며,
아시아, 유럽 각국의 패션지에 자신의 사진을 게재하고 있다.[3]
하지만 놀라운 성과에 비해 한국 상업사진의 역사는 오래되지
않았다. 신문에 사진 광고가 나온 건 1900년 무렵이지만[4]
현대적인 상업사진의 개념이 자리잡기 시작한 건 그로부터
반세기가 훌쩍 지난 후다. 먼저 사진을 찍고 현상하여 지면에
뽑을 수 있는 사진 스튜디오(김한용사진연구소, 1959)와

3. 2015년 홍장현이 모델
수주와 함께 『누메로 프랑스』
화보를 찍었고, 목정욱은
씨엘(CL)을 모델로 독일
잡지 『032c』 여름호 표지를
찍었다. 조기석은 『보그
이탈리아』 2022년 1월호
표지를 담당했다.

4. 1909년 8월 18일
『대한민보』에 게재된 놀잇배
대여 광고로 여름철 선유객을
끌기 위해 당시 한강변에서
흔히 볼 수 있던 유람선
사진을 크게 싣고 설명 문구를
덧붙였다. 유경선, 「광고사진의
발달과정에 대한 연구: 시대적
배경과 관련하여」(석사 논문,
중앙대학교, 1993), p.15

92쪽
김현성
2019, 2019
모델: 김원중

93쪽
김현성
2018, 2018

현상소(현대현상소, 1953), 인쇄소(삼화인쇄, 1954)가
생겼고, 흑백 시대의 종결을 알리는 컬러 사진(『여원』 1월호
표지, 1962)과 원색 화보(『주부생활』, 1965)가 등장했다.
때를 같이해 대학에 사진학과가 개설(서라벌예술대학,
1964)되었고, 1960년대 말 코카콜라와 펩시가 연달아
한국에 출시되면서 광고업도 본격화됐다. 에스콰이아(1961),
논노(1971), 반도패션(1974), 제일모직(1976) 등 기성복
브랜드들이 하나둘 영업을 시작한 것도 그 즈음이다. 기술과
자본의 토대가 마련된 것이다. 김한용으로 대표되는 1세대
상업사진가들은 영화 제작소가 밀집한 충무로에 자리를
잡고 한국 영화 산업의 일부를 담당했다. 영화 투자자들에게
제작 과정을 공유하거나 촬영 세트를 점검해 주는 역할을
하던 이러한 확인 사진들은 현재 필름이 남아 있지 않은 옛

96쪽
레스
더 스트레인저 The Stranger,
Arena Homme Plus,
2017.2.
모델: 창
에디터: 이광훈

97쪽
레스
아레나 옴므 플러스 Arena
Homme Plus, 2018.10.
모델: 케이타
에디터: 이광훈

영화의 증거자료로 활용된다. 당시 사진가들은 새로운 기술을 연마하는 장인처럼 자신의 작업실을 '연구소'라 명명하고, 촬영과 인화 작업을 비롯 광고주와의 소통이나 모델 섭외 등 기획자의 역할까지 직접 담당했다. 새로 나온 상품을 그 이름과 함께 크게 보여주거나 브랜드의 슬로건을 단순히 이미지화시킨 초기 상업사진들은 뜻밖에도 사진가의 자유로운 개성을 드러낸다. 이는 기술적 한계를 사진가의 임기응변과 상상력으로 타계해 나갔기 때문이다. 문제는 그다음이다. 《언커머셜》이 논점의 대상으로 삼는 건 사진 기술이 진화하고 제작 단계가 복잡해진 1980년대 이후다.

　　상업사진가들이 상대해야 하는 건 더 이상 진귀한 물건 하나, 컬러 사진 한 장에 찬탄하는 순진한 독자가 아니었다. 예술작품의 경우처럼 사진을 보기 위해 지정된 장소로 기꺼이

100-101쪽
레스
더 스트레인저 The Stranger,
Arena Homme Plus,
2017.2.
모델: 창
에디터: 이광훈

100-101쪽
레스
더 스트레인저 The Stranger,
Arena Homme Plus,
2017.2.
모델: 창
에디터: 이광훈

걸음을 옮기는 준비된 관객도 없다. 무료한 어느 날, 미용실에 앉아 우연히 펼쳐진 잡지를 집어 들 익명의 누군가, 그리고 그의 눈길을 사로잡아 마음에 불꽃을 지피는 일. 광고는 더 교묘해졌다. 사진이 사실적이라는 건 편견이다. 광고는 이를 적극적으로 이용해 미량의 사실을 포함한 진짜 같은 가짜, 실감 나는 연극을 꾸민다. 여기서 중요한 건 광고가 겨냥한 집단의 미학이 그것을 원해야 한다는 점이다. '갖고 싶다' 혹은 '되고 싶다'는 욕망을 불러일으키기 위해선 수용자가 제시된 이미지 속에 자신을 투영시켜 환상을 구체화하도록 사회적으로 지정된 이미지들을 제공해야 한다. 부르디외에 따르면 광고는 사진이 향유하는 사실주의라는 신용을 이용해 그 안에 의도를 넌지시 집어넣음으로써 그 의도를 사실적인 것으로 받아들이게 만든다. 상업사진은 카메라의 사실적 재현 기능과 광고의

104-105쪽
김용호
에이아이 AI, Vogue, 2016.5.
모델: 김원경, 한혜진

암시적 속성을 오가는 이중 게임을 벌이며 "적절한 한계
내에서 사람들을 꿈꾸게 하는 사회학적 지식"[5]을 내재함으로써
논리적인 맥락을 갖춘다. 이 같은 맥락은 협업 체계를 통해
공고해진다. 상업사진은 사진가를 포함한 전문가 집단―모델,
헤어 디자이너, 메이크업 아티스트, 의상 스타일리스트, 세트/
소품 스타일리스트, 에디터 혹은 브랜드 담당자, 각 파트의
보조 인력 등―이 만든 개별적 작업들이 사진가의 뷰파인더를
통해 하나로 통합되어 완성된 조립물이다. 사진가는 잡지사
에디터나 광고 기획을 담당하는 브랜드 관계자와 사전 협의를
통해 촬영에 관한 시안과 아이디어를 주고받으며 내용을
구체화시킨다. 여기서의 주된 논의는 상품을 상황 속에
집어넣는 방법, 즉 분위기를 창조하는 일이다. 예를 들어 갓
출시된 근사한 드레스를 입은 유명 모델이 눈부시게 푸른

5. 피에르 부르디외, 『중간
예술』, 주형일 옮김(서울:
현실문화연구, 2004), p.291

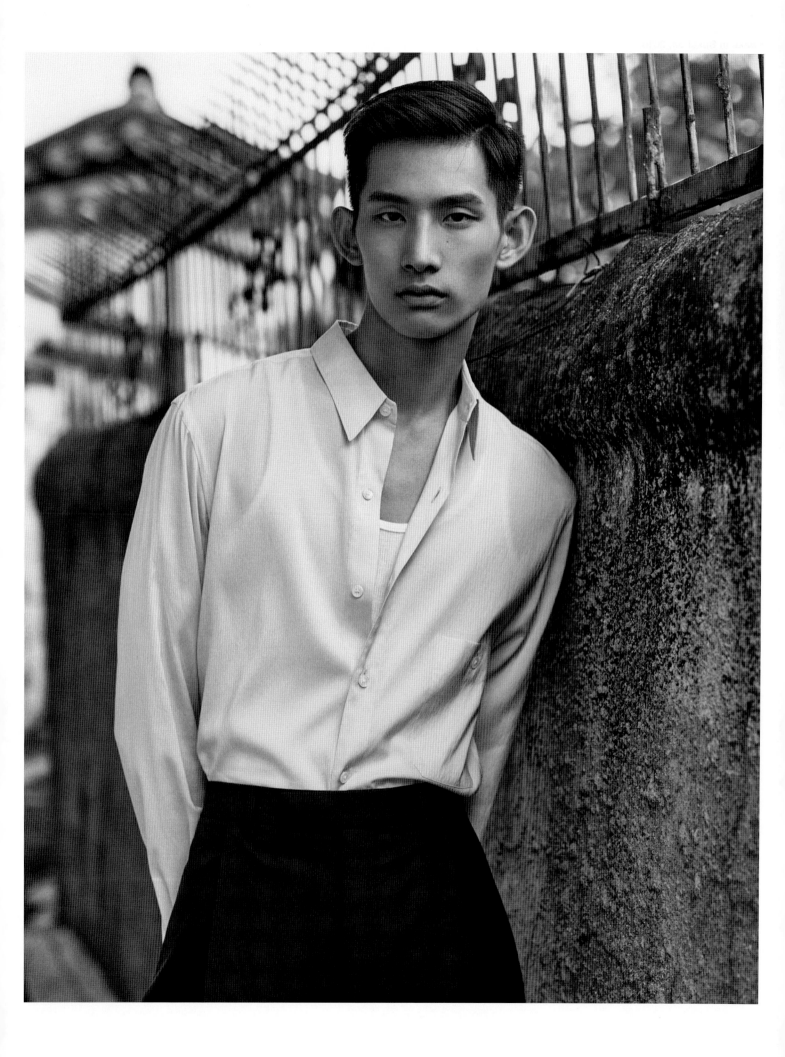

108-109쪽
김형식
어웨이크 인 북촌
Awake in Bukchon, 2016
모델: 박형섭, 엘리스 안
스타일리스트: 제롬 앙드레

수영장 안에 들어가 선글라스 너머로 카메라를 응시하는
사진(『보그』 2018년 12월호, 강혜원)[6]은 부유한 생활 수준과
그에 걸맞는 고급스러운 취향을 암시한다. 모델은 물에 젖은
드레스의 가격 따위는 아무래도 상관없다는 듯 당당하고
우아한 태도를 취한다. 같은 내용이라도 분위기를 연출하는
방식은 시대와 상황에 따라 달라진다. 만약 해외여행이 아직은
흔치 않던 1990년대에 찍힌 사진이라면 드레스를 입은 모델은
아프리카의 초원이나 유럽의 어느 고성 앞에서 포즈를 취했을
것이다.

　　이국적 이미지, 아름다움, 더 나은 생활과 같은 문화적
환상들은 옷이나 화장품, 나아가 연예계 스타와 같은
상품과 자유롭게 결합한다. 이미지의 기표를 결정짓는 건
상업사진 특유의 협업 체계다. 우리가 거리를 스치며 만나는

6. 사진은 pp.158–159 참고.

112–113쪽
김형식
어웨이크 인 북촌
Awake in Bukchon, 2016
모델: 박형섭, 엘리스 안
스타일리스트: 제롬 앙드레

112–113쪽
김형식
어웨이크 인 북촌
Awake in Bukchon, 2016
모델: 박형섭, 엘리스 안
스타일리스트: 제롬 앙드레

감각적인 사진들은 짧은 시간 안에 이뤄진 우연한 결과처럼
보이지만—완벽히 계획된 그대로는 아닐지라도—흐트러진
머리카락 한 올까지 논리적으로 계산되어 있다. 설득력 있는
연출을 위해서는 대개의 경우 협업자가 필요하다. 여러
협업자들과 물건이 어지럽게 뒤섞인 스튜디오는 카오스에
가까우며 촬영 과정은 지루하고 끈질긴 노동이다. 상업사진에
대한 일반적인 오해 중 하나는 아름다운 사람들과 값비싼
물건들로 가득한 이 꿈의 공장이 그 결과물만큼이나 매혹적일
것이란 환상이다. 하지만 현실의 촬영 스튜디오는 대개
정신없고 태초의 공허만큼 고요하다. 어둠 속에서 조명이
환하게 무대를 비추고 일군의 사람들은 오늘의 주인공이 된
모델 혹은 제품을 둘러싼다. 반복적인 셔터 음에 맞춰 무대와
그리 멀지 않은 위치의 모니터에선 방금 찍은 사진들이

올라오고, 사진가와 전문 인력들은 모니터의 이미지를
실시간으로 확인하며 일사불란하게 각자의 역할을 수행한다.
카메라 화면 밖에서 일어나는 스타일링 작업이나 기타
준비 과정은 여전히 수공예적이다. 미세한 반짝임을 만들고
조심스럽게 틈을 메우고 피사체와 교감하는 일은 컴퓨터
그래픽이 대신할 수 없는 영역이다. 여기에서 카메라라는
기계적 도구와 우연의 상호작용이 발생한다. 각 전문가들의
역량은 사진가의 수완만큼이나 사진의 완성도에 중요한 영향을
미치며, 사진가에겐 테크닉, 미적 감각 이상으로 협업을 위한
사교성이 요구된다. 예술가적 기질을 지닌 언변가란 친밀한
이방인처럼 모순되게 느껴지지만 이보다 더 어려운 숙제는
사진의 사실주의와 광고의 상징주의, 대중의 욕망과 사진가
개인의 이상 사이에서 만족할 만한 타협을 만들어내는 일이다.

120-121쪽
김형식
구호 KUHO, Space in a
Space, 2014, 두폭화
모델: 씨씨 시앙

120-121쪽
김형식
구호 KUHO, Space in a
Space, 2014, 두폭화
모델: 씨씨 시앙

《언커머셜》은 이 까다로운 조율에 성공한 일군의
작가와 이들의 작품을 소개하고 있다. 1980년대에 들어
한국 상업사진계는 질적 변화를 맞이한다. 선진화된
시스템과 독자적 예술성으로 상업사진의 난제를 풀어갈
새로운 사진가들이 등장한 것이다. 앞서 구축된 기술과
자본의 토대 위에 제반 조건들도 갖춰져 나갔다. 첫
모델 에이전시(모델라인, 1983)와 한국패션모델협회가
설립(1985)되었고, 에스모드의 서울 분교(1989)가 신사동
가로수길에 개교(1989)했다. 《언커머셜》은 1984년을
상업사진계에 새로운 물결이 시작된 원년으로 상정한다.
생각해 보면 그해엔 참 많은 일들이 일어났다. 새해 벽두부터
백남준이 〈굿모닝 미스터 오웰〉을 전 세계 동시 송출했고,
애플 매킨토시 128k가 시판되었으며 한국에선 왕복 2차로의

124–125쪽
김용호
우아한 인생
La Dolce Vita, 2012
아트 디렉션: 김용호

88올림픽고속도로가 개통됐다. 《연예가중계》는 그해 첫
방송을 했고, MBC 강변가요제에선 이선희가 〈J에게〉로
대상을 수상했다. 또한, 기성복 브랜드가 앞다퉈 출시되며
컬러의 시대에 부응한 총천연색 이미지들을 쏟아내기
시작했다. 대중문화의 태동기, 모든 게 꿈틀대던 시기였다.
유학파 사진가들이 한국에 돌아온 것도 그 무렵이다.
《언커머셜》은 특히 구본창, 김영수, 김용호, 김중만의 작업에
주목한다. 기존의 충무로 사진가들이 필름 한 통당 얼마의 돈을
받으며 광고주에게 필름을 통째로 넘겨주었다면, 이들은 컷
단위의 계약으로 광고 촬영의 주도권을 쥐었고 연출 시안은
물론 사진의 의도를 반영한 지면 구성(레이아웃)을 제시했다.
또한 상업사진가이기 이전에 예술가의 자의식을 지닌 작가로서
일관된 주제의식과 작품의 내용에 부합하는 특유의 기법,

128쪽 위
김용호
벨 에포크 Belle Epoque,
페리에 주에, 2009
모델: 최유화

128쪽 아래
김용호
소녀의 꿈 Live Brilliant,
현대자동차, 2011
모델: 이성경

129쪽
김용호
하퍼스 바자 Harper's
Bazaar, 2003
모델: 이혜영

쉽게 모방할 수 없는 수사적 표현으로 예술사진과 상업사진의
경계를 오갔다. 한국 상업사진계에서 이들의 행보는 이후의
사진가들에게도 큰 영향을 주었다. 네 사람의 개별적 특성은
간략하게나마 살펴볼 필요가 있다.

구본창(b.1953)은 비단 상업사진뿐 아니라 한국 현대사진
전체를 논하는 데 중요한 위치에 있다. 1985년 독일 유학에서
돌아온 그는 전통적인 다큐멘터리 사진이 주류를 이루던
한국 사진계에 큰 파장을 일으켰다. 구본창이 기획한 《사진,
새 시좌》(워커힐미술관, 1988)전에서 그를 포함한 8인의
참여 작가들은 '만드는 사진(making photo)'이라는 새로운
사진 표현 방식을 선보였다.[7] 그는 화려하고 낭만적인 음조를
거부하고 우리 주변에 조용히 머물다 오래전 흘러가 버린 것들,
실종된 것과 표착된 것에서 '여기와 지금'을 발견해 사진으로

7. 진동선, 『현대사진의 쟁점』
(서울: 푸른세상, 2002)

132쪽
김현성
오보이! OhBoy!, 2009
모델: 이수혁

133쪽
김현성
2008, 2008

새롭게 인식시킨다. 이 같은 주제의식과 주된 표현 기법은
패션 사진은 물론 그가 작업한 영화 포스터, 음반 사진에서도
그대로 이어지며 각각의 영역은 서로 영향을 주고받는다.
일례로 인화된 사진들을 실과 바늘로 조각조각 이어 붙인
〈태초에〉의 작업 방식은 '오리지널 리' 화보에서도 발견된다.[8]
또한 한복 디자이너 이영희의 한복 컬렉션, 디자이너 진태옥과
스타일리스트 서영희와 협업한 일련의 작업은 그가 자신의
사진에 항아리, 탈과 같은 한국적인 요소를 담는 계기가 되기도
했다.[9]

　　김영수(b.1953)는 구본창보다 한 해 앞서 미국 유학에서
돌아와 에스콰이아의 '포트폴리오'를 찍었다. 선진 장비와
상당한 테크닉이 필요한 제품 화보의 선구자로서 1996년
9월호『보그』에선 "국내에도 브루스 웨버의 옵세션이나 닉

8. 사진은 pp.384-385 참고.　　9. 사진은 pp.340-341,
　　　　　　　　　　　　　　　356-357, 380-381 참고.

136쪽
김현성
2008, 2008

137쪽
김현성
2007, 2007
모델: 김다울

136쪽
김현성
2008, 2008

137쪽
김현성
2007, 2007
모델: 김다울

나이트의 질 샌더, 헬무트 뉴튼의 월포드 광고처럼 사진가와
브랜드가 만나 시너지를 발휘하는 사례가 있다"고 김영수를
소개한다. 해외의 광고 제작 사례와 비교해 사진작가를
하청공장쯤으로 여기는 일부 광고주들을 비판하며 각성을
요구하는 해당 기사에선 열악한 여건에도 불구하고
광고사진으로 깊은 인상을 남기며 독보적인 활약을 이어가는
예로 김영수 외에도 구본창, 김용호, 조세현 등이 언급된다.
김영수는 "'포트폴리오'란 단어가 주는 예술작품의 느낌을
소비자에게 전달하기 위해 사진 액자를 주로 사용하여
강한 인상을 심어주었다"고 말한다. 또한 도시 느낌을 주는
콘크리트나 철판, 대리석과 같은 소재를 제품의 배경으로
사용했다.[10] 대개 정교한 세트를 직접 만들어 촬영했는데 이는
당시의 기술로서는 컴퓨터 후반 작업이 불가능했기 때문이다.

10. 사진은 p.393 참고.

140쪽
김현성
2007, 2007
모델: 지현정

141쪽
김현성
2007, 2007

142쪽
김현성
2007, 2007

카메라 렌즈에 수증기를 씌워 회화적인 분위기를 연출하는
라이트 페인팅 기법은 그의 사진을 구별 짓는 특징 중의 하나다.
　　김용호(b.1956)는 상업사진 안에 영화적 서사를 도입했다.
사진 연작, 혹은 책자 형태로 편집되는 그의 사진은 다양한
사건들이 이어져 하나의 이야기로 완결된다. 도입과 전개,
극적인 순간, 결말이 존재하며 때로 카메라 밖의 평범한
사람들이 불쑥 화면 안으로 난입한다. 낯선 곳으로 여행을 떠난
한 여성의 하루를 담은 1980년대 '하리케인' 카탈로그에선
인천 차이나타운의 상인들과 어시장의 뱃사람들이 우연히 찍힌
여행지의 기념사진 속 익명의 인물들처럼 조연으로 참여한다.[11]
이와 같은 서사적 표현은 점차 추상적인 내용으로 발전된다.
구두 광고 '엘칸토'에서 그는 커리어 우먼이 마음에 담고 있는
향수와 그리움을 표현하기 위해 기와, 돌담, 버스 정류장 등

　　11. 사진은 pp.416–417 참고.

144–145쪽
김용호
모단-걸(新女性)
Modern Girl, 2006
모델: 장은수

146쪽
김용호
소년 Boy, 2003
모델: 김민희

147쪽 위
김용호
밀크 러브, 19번지에서
기다립니다 Milk Love,
W, 2005.8.
모델: 지현정, 이언

147쪽 아래
김용호
보그 Vogue, 2005
모델: 김혜수

148쪽 위
강혜원
더블유 W, 2021.1.
모델: 클로이 오
에디터: 김민지
헤어: 장혜연
메이크업: 이나겸

148쪽 아래
강혜원
보그 Vogue, 2018.3.
모델: 켄달 제너
에디터: 손기호
헤어: 마키 쉬크렐리
메이크업: 이유미
캐스팅: 버트 마티로시안
프로덕션: 박인영

149쪽
강혜원
보그 Vogue, 2021.2.
모델: 최소라
에디터: 손은영, 남현지
헤어: 김정한
메이크업: 이지영
캐스팅: 버트 마티로시안
프로덕션: 박인영

150쪽
강혜원
보그 Vogue, 2021.11.
모델: 정호연
에디터: 손은영
헤어: 김정한
메이크업: 최시노

151쪽
강혜원
보그 Vogue, 2020.6.
모델: 신현지
에디터: 손은영
헤어: 김승원
메이크업: 박혜령
캐스팅: 버트 마티로시안

152쪽
강혜원
더블유 W, 2020.12.
모델: 신현지
에디터: 이예진
헤어: 이에녹
메이크업: 이나겸

153쪽
강혜원
보그 Vogue, 2020.9.
모델: 신현지, 정소현,
박희정, 배윤영
에디터: 손은영
헤어: 김승원
메이크업: 박차경

154–155쪽
홍장현
2020, GQ, 2020.3.
모델: 에스팀 모델 38인
에디터: 이연주, 신혜지
헤어: 임안나, 이혜진
메이크업: 장소미, 문지원

156쪽
김보성
꽃샘 1 Kkottsam 1,
Vogue, 2019.3.
모델: 윤보미
에디터: 손은영
헤어: 한지선
메이크업: 오미영
프로덕션: 김윤범

157쪽
김보성
꽃샘 2 Kkottsam 2,
Vogue, 2019.3.
에디터: 손은영
프로덕션: 김윤범

158–159쪽
강혜원
보그 Vogue, 2018.12.
모델: 제인 모슬리
에디터: 손은영
헤어: 릭 그래던
메이크업: 홀리 실리우스
캐스팅: 버트 마티로시안
프로덕션: 박인영

160–161쪽
안주영
보그 Vouge, 2018.5.
모델: 김이현
에디터: 백지수
스타일링: 임지윤
헤어: 한지선
메이크업: 홍현정

162–163쪽
안주영
보그 Vouge, 2017.5.
모델: 지현정, 김이현
에디터: 백지수
스타일링: 김석원
헤어: 한지선
메이크업: 이자원

164–165쪽
안주영
하퍼스 바자 Harper's
Bazaar, 2017.7.
모델: 김성희
에디터: 이진선
헤어: 이혜영
메이크업: 이지영

166쪽
김보성
레드 304 Red 304, 2016
모델: 배윤영
에디터: 이지아
헤어: 한지선
메이크업: 원조연

167쪽
김보성
레드 101 Red 101, 2016
모델: 배윤영
에디터: 이지아
헤어: 한지선
메이크업: 원조연

168쪽
김보성
레드 107 Red 107, 2016
모델: 엘리스
에디터: 이지아
헤어: 한지선
메이크업: 원조연

169쪽
김보성
레드 201 Red 201, 2016
모델: 로사
에디터: 이지아
헤어: 오종오
메이크업: 이준성

고향의 풍경을 연상시키는 배경 속에 구두와 인물을 놓고,
인화된 사진에 오래된 필름 같은 효과를 줬다.[12] 김용호는
패션광고계 특유의 고급스럽고 은밀한 사교의 장, '청담동
문화'를 만든 인물이기도 하다. 그가 운영한 '카페 드 플로라'와
바는 연예인과 모델, 기자, 사진가, 영화감독들이 모여 벨
에포크 시절 파리의 예술 살롱에 온 듯한 느낌을 불러일으켰다.
김용호는 같은 건물에 '도프 앤 컴퍼니'라는 회사를 차려
국내 패션 브랜드 시장의 전성기이자 최고의 호황기였던
1990-2000년대에 광고 대행 및 기획, 사진 촬영, 디자인,
편집을 전부 총괄했다. 백종열을 비롯 유능한 창작자들이
이곳을 거쳐갔다. 1994년 패션 사진가협회가 결성된 데는 유명
사진가이자 문화공간의 운영자였던 김용호의 힘이 컸다.
　　1977년 프랑스 아를 국제사진페스티벌에서 젊은 작가상을

12. 사진은 p.388 참고.

172쪽
김보성
레드 204 Red 204, 2016
모델: 로사
에디터: 이지아
헤어: 오종오
메이크업: 이준성

173쪽
김보성
레드 106 Red 106, 2016
모델: 엘리스
에디터: 이지아
헤어: 한지선
메이크업: 원조연

수상한 김중만(1954-2022)은 한국 패션지의 효시로
평가받는 『멋』¹³ 창간호의 표지 촬영을 맡았다. 몽환적인
분위기의 이 사진에서 그는 당대의 톱 모델 이희재의 무표정한
얼굴을 제외한 모든 부분을 검은색 옷과 모자로 가렸다.
여성의 육감적인 신체를 강조하거나 환하게 웃는 얼굴로
친근감을 내세우던 기존의 상업사진에선 볼 수 없었던
파격이었다. 아프리카에서 유년 시절을 보내고 1979년
한국으로 돌아오기 전까지 10년을 프랑스에서 보낸 그는
야생에서 원초적 아름다움을 찾는 탐미주의자로, 자유분방한
시도와 들끓는 힘은 김중만 사진의 근간을 이룬다.¹⁴ 김중만의
'벨벳언더그라운드' 스튜디오는 언제나 밀림처럼 식물들로
가득했으며 실내 어딘가에서 새소리가 들렸다. 1990년대
중반까지도 그는 스튜디오 없이, 마치 집 없는 방랑자처럼 한강

13. 그래픽 디자이너 안상수가
디자인을 맡아 1983년
10월 창간호를 발매한 『멋』은
1984년 동아일보에 인수되어
『월간 멋』으로 개간하고,
프랑스 『마리끌레르』와 제휴를
맺었다.

14. 사진은 pp.344-353
참고.

176쪽
홍장현
2016, Numero Russia,
2016
모델: 아만다 머피
스타일링: 아멜리에
홀트크비스트
헤어: 아담 스자보
메이크업: 다리아 데이

177쪽
홍장현
2016, W, 2016.4.
모델: 박세라
에디터: 정진아
헤어: 이혜영
메이크업: 박혜령

고수부지와 같은 야외에서 자연광 아래 촬영했으며 후기에는
패션 사진보다 유년 시절을 보냈던 아프리카 초원과 한국의
자연 풍경에 관심을 보였다. 그는 유명인을 찍는 사진가이자
여느 유명인보다 유명했던 국내 최초의 스타 사진가이기도
했다. 세련되고 자유로운 전문직으로서의 '프리랜서'가
각광받던 1990년대엔 맥슨 무선 전화기, 영에이지[15] 등의
광고 모델을 맡았다.

3. 강남 스타일과 한류, 디지털 시대의 상업사진

한국 상업사진의 새 장을 연 구본창, 김영수, 김용호, 김중만은
각자의 스타일로 상업사진가로서 괄목할 만한 성과를 거두며
동시에 사업가, 교수, 작가로서 확장된 진로를 모색해 나간다.

15. 김중만과 모델 출신인
그의 아내 이인혜가 동반
출연한 영에이지 신문광고는
구본창이 촬영했다.

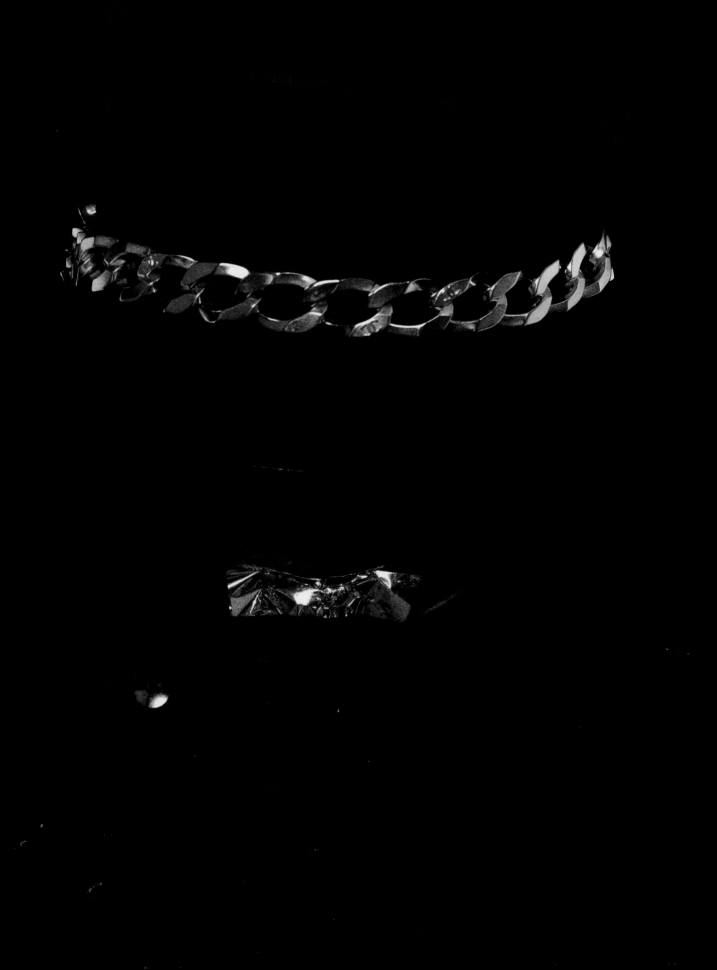

180쪽
홍장현
2015, 2015

181쪽
홍장현
2013, GD 'COUP D'ETAT'
Album, 2013
모델: 지드래곤
스타일링: 지은
헤어·메이크업: 미장원
바이 태현

이로써 한국 상업사진계에는 일련의 계보가 형성됐다. 김중만을 사사한 안성진은 스튜디오 잼을 설립하고 듀스, 클론, 엄정화, 삐삐밴드 등 유명 가수들의 음반에 들어가는 인물 사진을 촬영했다. 1990년대엔 패션 브랜드와 광고뿐 아니라 한국 대중문화 산업 전반이 활기를 띠며 지각변동을 일으켰다. 이미지를 중요시하는 아이돌 산업이 나타났고 첫 100만 관객 영화가 탄생했으며 신세대를 겨냥한 유니섹스 브랜드를 필두로 성별과 세대를 막론한 각종 브랜드들이 쏟아져 나왔다. 동시에 문화 개방 정책으로 수입 브랜드가 론칭을 알렸고 라이선스 잡지들이 연이어 창간됐다. 시장은 경쟁적으로 보다 많은, 더욱 새로운 사진을 필요로 했다. 수요의 증가와 함께 시스템에도 변화가 생겼다. 1997년 외환 위기는 사진가를 급여 노동자에서 계약직 프리랜서로

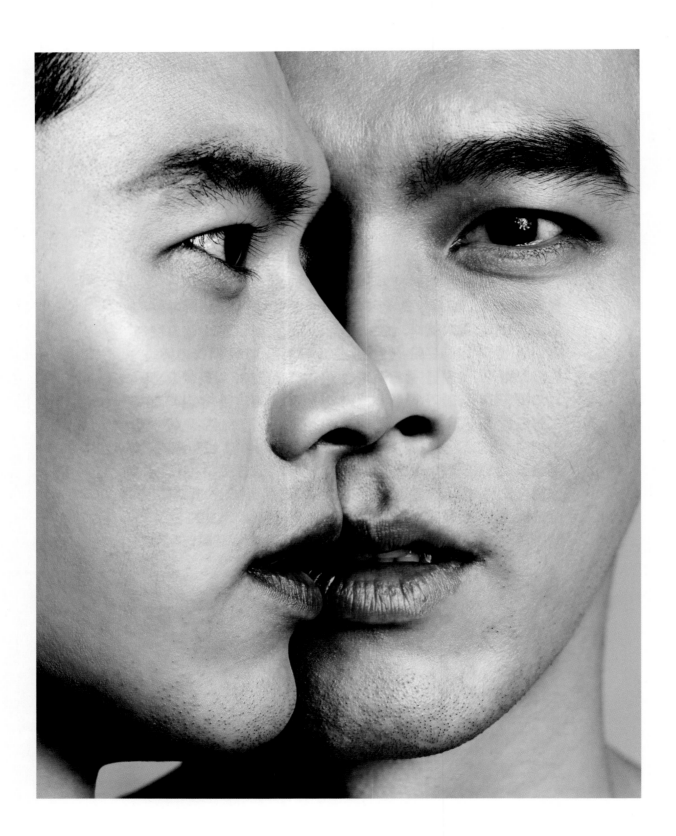

184쪽
조선희
현빈 Hyun Bin, ZZIN, 2011

185쪽
조선희
신비의 산, 금강산
**The Mystic Mountain,
Geumgangsan, W, 2010**
모델: 노선미, 이영진,
야미, 조하얀
협업: 황진영

전향시켰다. 신문사나 잡지사의 소속 사진가로 일했던 대다수 사진가들은 노동시장 개편으로 직장을 떠나 독립 스튜디오를 차렸다. 이로써 1990년대 이후 상업사진의 무대는 충무로에서 강남으로 완전히 이전된다. 고가의 브랜드들이 명품 거리를 형성하며 패션, 광고, 엔터테인먼트 회사가 집결된 강남은 자본과 유행, 화려한 사람이 모이며 이른바 '강남 스타일'을 형성한다. 1960-1970년대의 충무로 사진 연구소가 영화와 공생하며 기술 장인으로서 사진의 기법을 연마했다면, 강남의 사진 스튜디오들은 패션·엔터테인먼트 산업의 글로벌한 성장과 함께 한류의 이미지를 만들었다. 그 이미지란 1990년대 대중문화 전반이 그러했듯 전위적인 스타일과 고상하고 낭만적 취향, 복고적인 것, 미래적인 것, 외래와 토종이 뒤섞인 감각의 브리콜라주로 잘 설명될 수 있다. 시대의 이미지를 형상화한

188-189쪽
조선희
신비의 산, 금강산
The Mystic Mountain,
Geumgangsan, W, 2010
모델: 노선미, 이영진,
야미, 조하얀
협업: 황진영

신비의 산, 금강산
The Mystic Mountain,
Geumgangsan, W, 2010
모델: 노선미, 이영진,
야미, 조하얀

이 사진들은 정겹고 기이하면서도 아직 오지 않은 미래나 먼
옛날처럼 아득하게 느껴진다.

　이러한 상업사진의 팽창기는 2000년대 초까지 이어졌다.
외환 위기로 인한 경제 불황은 한국 상업사진계에 뜻밖의
기회로 작용했다. 광고 제작비 절감을 위해 브랜드들은 외국의
유명 사진가를 기용한 해외 로케 촬영 대신 국내로 눈을 돌렸다.
이제 막 강남에 자리 잡기 시작한 젊고 유능한 사진가들은
이 기회를 놓치지 않았다. 자연스럽게 클라이언트에게 이들
사진가를 연결해 주는 사진 에이전시도 등장했다. 사진계는
양적인 성장을 바탕으로 보다 효율적인 체계를 만들어갔다.
2001년 국내 최초의 사진가 에이전시 '코마'가 출범했고
'잼'을 이끌던 안성진과 또 다른 사진가 이전호는 직접 '테오'
에이전시의 문을 열었다. 2005년엔 '보트'가 생겼다. 특정

192–193쪽
조선희
신비의 산, 금강산
The Mystic Mountain,
Geumgangsan, W, 2010
모델: 노선미, 이영진,
야미, 조하얀
협업: 황진영

192–193쪽
조선희
신비의 산, 금강산
The Mystic Mountain,
Geumgangsan, W, 2010
모델: 노선미, 이영진,
야미, 조하얀
협업: 황진영

사진가들과 협업 관계를 맺은 사진 에이전시는 광고 예산과
콘셉트에 맞는 사진가를 클라이언트에게 소개함으로써
브랜드의 효율적 광고 집행을 대행한다. 소속 사진가보다
금전의 지급 주체인 클라이언트의 입장을 대변하게 되는
에이전시의 실질적 역할에 대해선 부정적인 견해도 있지만,
사진가를 관리하는 에이전시의 존재가 개인 사업자로서
사진가의 영업 부담을 다소나마 줄여준 건 사실이다. 또한
테오와 같은 일부는 스튜디오와 장비를 대여해 줌으로써
값비싼 월세와 장비 마련에 대한 젊은 사진가들의 짐을
덜어주었다. 홍장현은 테오에서 독립한 후에도 한동안 같은
공간에 세 들어 있다 최용빈과 함께 스튜디오 용장관을 꾸렸다.
김중만을 사사하고, 1990년대 초 활동을 시작한 김현성은
유학 후 귀국해 김태은과 UFO 스튜디오를 이끌었다. 다시

196-197쪽
박지혁
더블유 W, 2006.7.
모델: 김다울
에디터: 황진영
헤어·메이크업: 홍현정

용장관에서 김희준, 박종하가 독립했고, UFO 스튜디오에선
목정욱, 곽기곤, 안상미 등이 독립했다. 에이전시가 보호
체계라면 스튜디오는 신진 사진가들의 양성소였다. 다른
사진가들의 스튜디오에서도 다음 세대의 사진가들이 수습을
마치고 세상으로 나왔다. 사진가의 수는 급격히 늘어났다.
신진 사진가들이 독립 활동의 자신감을 얻는 데엔 싸고
간편한 디지털카메라의 보급도 영향을 미쳤다. 디지털화로
촬영 장비가 간소화되고 리터칭과 같은 후반 작업이 사진
스튜디오의 새로운 업무가 되면서 여성 사진가의 활동도
눈에 띄게 증가했다. 스튜디오 내에서 후반 작업을 전담하는
조수는 대개 여성이 선출되었다. 다양한 사회적 변화가 애니
리버비츠(Annie Leibovitz)를 꿈꾸는 여성들을 독려했겠지만
훨씬 간소해진 장비와 현장 경험을 쌓을 수 있는 기회 조성은

200-201쪽
박지혁
스트레인저 Stranger,
W, 2006.11.
모델: 이유
에디터: 황진영
헤어·메이크업: 홍현정

박지혁
스트레인저 Stranger,
W, 2006.11.
모델: 이유
에디터: 황진영
헤어·메이크업: 홍현정

상업사진계 내 여성의 진입장벽을 낮췄다. 경쟁은 점차 더
치열해질 수밖에 없었다. 옛 방식을 고집하던 필름 사진가들은
점차 시장에서 밀려났다. 예견된 일이었다. 사진의 디지털화는
이미 오래전, 아주 먼 바다에서부터 준비된 거대한 물결이었기
때문이다.

　　아이러니한 건 기술 변혁과 사진가의 세대 교체가 진행된
2000년대 중후반의 사진들이 오히려 과거 충무로 사진가들의
서툰 인공 사진보다 상투적으로 느껴진다는 점이다.
디지털카메라와 컴퓨터 후반 작업이 일반화된 이 시기의
사진에선 사진의 사실적 구현이 사진가의 개성이나 상상력보다
중요해졌다. 사진가들은 배경을 완벽히 새하얗게 처리하고
실제보다 더 반짝이고 매끈한 상품을 보여주고자 애썼다. 이
시기의 사진 대다수는 이번 전시에선 생략되었다. 대신 기술적

204–205쪽
이건호
더블유 W, 2006.1.
모델: 김다울
에디터: 서은영

204–205쪽
이건호
더블유 W, 2006.1.
모델: 김다울
에디터: 서은영

과도기에서 필름 사진의 인화 방식에 작가주의적 정신을
투영시킨 박지혁, 이건호의 작업을 소개한다. 또한 스트리트
문화에 기반한 1990-2000년대 스냅 사진들의 연출적 특성을
오늘날의 브랜드 광고사진에서 재발견한다.

4. 《언커머셜(UNCOMMERCIAL): 한국 상업사진, 1984년 이후》에 대하여

《언커머셜》은 1980년대 이후의 패션·엔터테인먼트 사진을
중심으로 1세대 상업사진가 김한용 특별전을 비롯 한국
상업사진의 지난 시간을 돌아본다. 사진 매체를 이용한
광고들이 장난스럽고 또 집요하게 우리의 일상에 스며든
초기부터, 개성적 스타일과 미학으로 상업사진의 새로운

208-209쪽
박지혁
웨이킹 더 와일드 킹덤,
아프리카 Waking the Wild
Kingdom, Africa,
W, 2005.3. 창간호
모델: 장윤주
패션에디터: 황진영
헤어·메이크업: 홍현정
장소: 레와 야생동물 보호협회

208-209쪽
박지혁
웨이킹 더 와일드 킹덤,
아프리카 Waking the Wild
Kingdom, Africa,
W, 2005.3. 창간호

모델: 장윤주
패션에디터: 황진영
헤어·메이크업: 홍현정
장소: 레와 야생동물 보호협회

개념을 제시한 선구적 사진가들의 주요 작업들, 대중문화의
폭발적 성장과 함께 한류의 이미지를 만든 양적 팽창기의 영화,
음반, 잡지, 패션 카탈로그 등의 자료들, 선진적인 활동 체계를
구축하고 디지털 기술의 변곡점을 거친 후기 상업사진의
사진들까지. 이처럼 가속화된 발전은 오랜 기간 한국
상업사진의 역사를 되돌아보는 일을 불가능하게 만들었다.
그리하여 사진의 흥망성쇠를 설명해 주는 역사적 물음이나
경우에 따라 철학적인 문제들까지 수십 년간 주목받지 못하는
사태가 벌어지게 된다. 그러한 물음들이 오늘날 의식되기
시작했다면 거기엔 엄밀한 이유가 있다.

싸이의 〈강남스타일〉 뮤직비디오가 유튜브 조회 수
10억을 돌파하며 한류 열풍을 불러 온 2012년, 밀레니엄
시대의 상업사진은 다음 단계로 나아간다. 여전히 스튜디오는

안성진
텔레그래프 화보
TELEGRAPH Catalog,
2006

강남에 있지만 소통하는 대상은 전 세계다. 인스타그램이 곧
포트폴리오다. 주류 사진가들은 수백만의 팔로워를 거느리는
인플루언서이기도 하다. 1980년대 유학파 사진가들이
상업사진가라기보단 상품을 구실로 자유롭게 자신의
그림을 만드는 예술가들이었다면, 이들은 상업사진 고유의
효율성을 믿으며 사진의 사실주의와 광고의 유혹적 힘이라는
양립하기 어려운 모순들을 사진 속에서 표현하고 협업 체계와
또 그 자신의 방식으로 이를 해결한다. 레스(b.1978)는
일상적 장소에서 벌어지는 화보 촬영의 특수한 상황들,
마치 자연스러운 것처럼 꾸민 연출된 허구의 이질감을
노골적이면서도 유머러스하게 포착한다. 노부부가 거실에서
다정하게 입을 맞추는 순간 그 뒤로 등장하는 말쑥한 정장
차림의 모델, 주방에서 땀을 흘리며 조리하는 요리사의 노동

216-217쪽
이건호
보그 Vogue, 2005.8.
모델: 조하얀
에디터: 서정은

이건호
보그 Vogue, 2005.8.
모델: 조하얀
에디터: 서정은

현장에 침입한 모델이 마치 현실에 합성된 이미지처럼 가만히 서 있는 풍자적 사진들이다.[16] 《언커머셜》의 전시 포스터로 쓰인 안상미(b.1987)의 사진은 상업사진이 여러 협업자의 노동의 결과로 '만들어진 사진'이라는 점을 정지된 이미지로 드러낸다.[17] 촬영 중간에 빛의 노출 테스트를 보고자 찍은 이 사진은 실제 잡지 화보에는 실리지 않은 B컷이다. 계획되지 않은 우연의 결과물이나, 철저한 준비에도 매번 계산이 빗나가는 것 또한 사진 촬영 현장의 특징이다. 이 포스터는 실제 사건에서 살짝 어긋난 엉뚱한 상황의 연출과 특유의 파스텔톤 색감으로 현실감 있는 동화를 만들어내는 안상미의 기존 작업과 분명 연결되는 지점이 있다.

16. 사진은 pp.96-97, 100-101 참고.

17. 사진은 p.1 참고.

220쪽
이건호
더블유 W, 2005.6.
모델: 조하얀
에디터: 서정은

221쪽
이건호
더블유 W, 2005.4.
모델: 지현정
에디터: 배수현

220쪽
이건호
더블유 W, 2005.6.
모델: 조하얀
에디터: 서정은

221쪽
이건호
더블유 W, 2005.4.
모델: 지현정
에디터: 배수현

5. 사건의 지평선, 사진의 지평선

한 달 혹은 그보다 더 짧은 기간을 주기로 급하게 새로운
작업물을 만들어야 하는 사진가들은 자신이 어떤 걸작을
만들었는지 모르고 지나치기도 한다. 식성만큼 다양한 미감을
지닌 의뢰인들과 사진을 소비하는 대중의 취향은 수시로
달라지며, 이를 조율하는 기획자, 에디터 등 중간 매개자의
역량도 매번 들쑥날쑥하다. 이런 상황에서 일관된 사진
미학을 보여준다는 건 거의 불가능한 일이다. 때문에 많은
상업사진가들은 '개인 작업'이라는 이름으로 상업사진과
구별되는 창작자로서 자신의 이상을 담은 미적 실험을
도모한다. 하지만 영리한 사진가들은 자신의 이상과 현실이
상업사진의 경우가 그러한 것처럼 정확히 둘로 나뉠 수 없음을

224–225쪽
이건호
하퍼스 바자 Harper's
Bazaar, 1999.6.
모델: 김경미
에디터: 최정아

인지하게 된다. 두 세계는 상호 침투한다. 사진 스튜디오에는 '호리존트'라고 불리는 새하얀 무대가 있다. 바닥과 천장을 이음새 없이 하나로 이어놓은 이 세트는 주로 모델을 촬영할 때 사용되는데 조명을 비추면 그림자가 변형되고 무한 공간처럼 보이게 할 수도 있다. 독일어로 지평선을 뜻하는 'Horizont'의 일본식 발음으로 일본의 영향을 받았던 상업사진 형성기에 유입된 촬영 관련 단어들이 사진계에선 지금도 전문용어처럼 쓰이고 있다. 아무튼 이 다국적 언어의 세트 앞에서 사진가는 자신을 지나는 연직선에 직교하는 평면과 하늘의 교선을 바라본다. 현실과 꿈, 사실과 선전, 망각과 기억이 교차하는 이 사진의 지평선은 카메라 밖에선 그저 세트에 불과하지만 조명이 비추는 화면 안에서는 끝없이 열린 공간이다. 특정 시기의 문화와 감수성이 깊이 침잠된 어떤 사진들은 유행의

228쪽
조선희
김민희 Kim Minhee, 1999

229쪽
조선희
이정재 Lee Jungjae, 1996

조명이 꺼지고 꿈에서 깨어난 후에도 현재를 이해하는 중요한
증거로서의 가치를 지닌다. 상업사진의 '비상업적'인 지점은
여기에 있다.

　　한국 상업사진의 과거를 조사하는 일은 흙에 파묻힌
찬란했던 옛 도시의 흔적을 발굴하는 것처럼 조심스럽고
까다로웠다. 나를 포함한 여러 패션광고계 종사자들이 각자의
기억을 파헤치고 더듬어 모호한 조각들을 꺼냈고 그 유물들을
하나의 이야기로 맞춰나갔다.《언커머셜》의 참여 작가들이
제공한 원본 필름과 카탈로그 자료들은 기존의 주류 미술계가
미처 담지 못한 문화산업 시대의 예술작품이자 사회·문화적
증거로서 가치를 지닌다. 대량 유통되었던 그 많던 사진들이
거의 다 사라졌다는 것도 아이러니한 일이다. "언젠가
필요한 날이 올 것 같아 브로마이드 하나도 함부로 버릴 수가

232–233쪽
고원태
마리끌레르
Marie Claire, 2022.9.
모델: 클로이 오
에디터: 김지수
헤어: 유이 히로하타
메이크업: 나세영

232–233쪽
고원태
마리끌레르
Marie Claire, 2022.9.
모델: 클로이 오
에디터: 김지수
헤어: 유이 히로하타
메이크업: 나세영

없었다"는 사진가들의 바람에 보답하는 유일한 답은 "옛것이
보관되어 있던 장소를 오늘날의 대지에 표시하는 일"[18]일
것이다. 부디 우리를 매혹시켰던 이 아름다운 꿈들 속에서 지금
우리에게 주어진 것들의 의미와 새로운 가능성을 찾길 바란다.

《언커머셜(UNCOMMERCIAL):
한국 상업사진, 1984년 이후》
협력 기획자 이미혜

18. 발터 벤야민, 『일방통행로
/ 사유 이미지』, 김영옥,
윤미애, 최성만 옮김(서울: 길,
2007), p.182

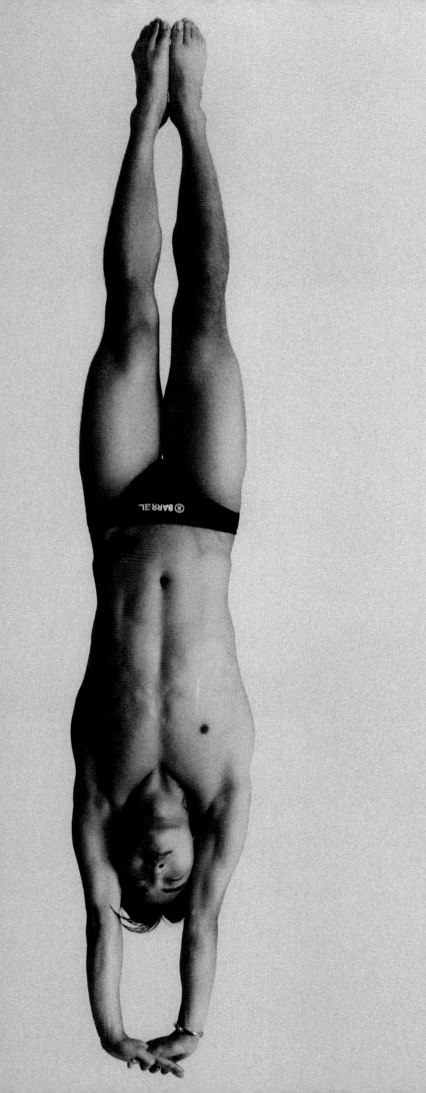

236–237쪽
윤송이
더블유 W, 2021.10.
모델: 우하람
컨트리뷰팅 에디터: 최진우
글: 이예지
스타일리스트: 노지영
헤어·메이크업: 김우준

윤송이
더블유 W, 2021.10.
모델: 우하람
컨트리뷰팅 에디터: 최진우
글: 이예지
스타일리스트: 노지영
헤어·메이크업: 김우준

연표

241쪽
홍장현
2021, FASSION, 2021
모델: 만나
에디터·스타일링: 채한석
헤어: 이일중
메이크업: 안성희

홍장현
2021, FASSION, 2021
모델: 만나
에디터·스타일링: 채한석
헤어: 이일중
메이크업: 안성희

1959년 김한용이 당시 유행의 중심지인 충무로2가 스타다방 옆에 최초의 상업사진 스튜디오인 김한용사진연구소를 연다. 한편, 1952년 한국사진작가협회가 창립되었으며, 1953년 현대현상소가 설립되었다. 같은 해 임응식이 서울대학교 미술대학에서 사진 강좌를 개설했다. 1954년 삼화인쇄가 설립되었다.

　　1966년 한영수가 한영수사진연구소를 연다. 1968년에는 김한용, 남상준, 이용정, 한영수 등이 한국상업사진가협회를 창립했다. 한편, 1960년과 1961년 새한칼라현상소와 아그파칼라현상소가 연달아 영업을 시작했다. 1961년 에스콰이아 제화가 등장했다. 같은 해 1인당 GDP는 93달러였다. 1962년 여성지 『여원』 1월호 표지에 김한용이 찍은 컬러 사진이 실렸다. 1964년 디자이너 최경자가 설립한

244-245쪽
고원태
엘르 Elle, 2022.11.
모델: 다니, 파룩, 발레리아,
페리스, 한성우, 김별
에디터: 주가은
헤어: 최은영
메이크업: 김민지

244-245쪽
고원태
엘르 Elle, 2022.11.
모델: 다니, 파룩, 발레리아,
페리스, 한성우, 김별
에디터: 주가은
헤어: 최은영
메이크업: 김민지

국제복장학원 내에 모델 양성 기관 국제차밍스쿨이 생겼다.
같은 해 서라벌예술대학(현 중앙대학교)에 국내 최초로
사진학과가 개설되었으며, 국내 최초 광고 공모전 '조선일보
광고대상'이 제정되었다. 1965년『주부생활』에 원색 화보가
게재되었다. 1968년 코카콜라가 한국에 상륙하며 광고회사와
광고업이 본격화되었다.

    1970년대는 충무로 사진가들의 시대였다. 1세대
김한용, 이용정, 한영수를 비롯해 2세대 김광부, 김우일,
김현웅, 이재길, 이창남 등이 활발하게 활동했다. 1976년
한국광고사진가협회가 설립되었고, 1977년에는 김중만이
프랑스 아를 국제사진페스티벌에서 젊은 작가상을 수상했다.
한편, 1970년 중앙일보사가『여성중앙』을 창간했다.
1971년 국내 첫 기성복 브랜드 논노가 등장했고, 같은 해

248–249쪽
장덕화
더블유 W, 2021.1.
모델: 주원
에디터·스타일리스트: 박연경
헤어: 이현우
메이크업: 오가영

한국광고협의회가 발족했다. 1973년 제일기획이 창업했다.
1974년 엘지패션의 전신인 반도패션이 영업을 시작했다.
1975년 코닥이 세계 최초의 디지털카메라를 개발했다.
1976년 제일모직이 영업을 시작했다. 같은 시기 니코보코,
샤트렌, 톰보이, 라보떼 등의 여성복 브랜드가 첫선을 보였다.
1977년 광고 총액이 1천억 원을 돌파했다. 같은 해 압구정동에
한양아파트와 현대아파트가 연달아 분양을 시작했다.
　　상업사진의 뉴웨이브가 열린 1980년대는 브랜드와
카탈로그의 시대였다. 구본창, 김영수, 김중만이 귀국했고
김영수는 에스콰이아, 김용호는 하리케인과 엘칸토 등의
광고를 맡았다. 1984년부터 김중만과 구본창이 차례로
가시화되었다. 1988년 한화그룹의 한컴에서 실장으로
근무하던 김영수가 독립하여 416을 열었다. 같은 해

252쪽
고원태
더블유 W, 2020.11.
모델: 이주원
에디터: 김신
헤어: 김승원
메이크업: 오가영

253쪽
고원태
보그 Vogue, 2020.9.
모델: 이주원
에디터: 손기호
헤어: 최은영
메이크업: 황희정

워커힐미술관에서는 구본창이 기획하고 참여한 《사진, 새 시좌》가 열렸다. 신문사들의 여성지 창간이 붐을 이뤘고 신문사 소속 사진부 기자들이 여성지 사진을 찍었다. 『주부생활』의 조세현을 비롯해 정용선, 김광해 등이 언론 매체 사진 기자로 활약했다. 김한용의 어시스턴트로 일했던 박상훈이 독립해 조용필의 맥콜 광고를 찍었다. 한편, 이 시기 데코, 텔레그라프, 조이너스, 꼼빠니아, 비아트, 마인, 로가디스, 갤럭시, 코모도, 소르젠떼, 이랜드, 뱅뱅, 죠다쉬, 잠뱅이, 에드윈, 카운트다운, 스포츠 브랜드 프로스펙스, 르까프, 나이키코리아가 영업을 시작했다. 1980년 5·18 광주민주화운동이 있었고 같은 해 조용필의 〈창밖의 여자〉가 첫 밀리언셀러를 기록했다. 1981년 『레이디경향』(경향신문사)이 창간했으며, 같은 해 한국방송광고공사가 창립했다. TV 컬러 광고가 시작되었고,

256쪽
고원태
엘르 Elle, 2020.8.
모델: 이혜승
에디터: 이혜미
헤어: 최은영
메이크업: 이숙경

257쪽
고원태
더블유 W, 2020.11.
모델: 이주원
에디터: 김신
헤어: 김승원
메이크업: 오가영

소니 디지털카메라가 상용화되었으며 MTV가 개국했다. 1982년 현 롯데그룹의 홍보조정실로 이어진 대흥기획이 문을 열었다. 같은 해 한강개발사업이 착수되었다. 1983년『멋』이 창간되었다. 같은 해 모델 출신 이재연이 첫 모델 에이전시 모델라인을 설립했다. 주요 소속 모델은 윤영실, 이희재, 유혜영 등이었다. 1984년 동아일보에서『멋』을 인수하여 『월간 멋』으로 개간했고, 프랑스 패션 잡지『마리끌레르』와 제휴했다. 같은 해 1인당 GDP가 2천413달러를 기록했다. 매킨토시가 출시되었고, 리들리 스콧이 광고를 제작했다. 백남준이 〈굿모닝 미스터 오웰〉을 발표했다. 김중만이 포스터를 촬영한 영화 〈고래사냥〉도 개봉했다. 과천에 국립현대미술관이 착공했다. 1985년 한국패션모델협회가 설립되었다. 같은 해 63빌딩이 완공되었고, 최초의

260–261쪽
김희준
마리끌레르
Marie Claire, 2020
모델: 배윤영
에디터: 김지수
헤어: 조미연
메이크업: 정수연

PC통신 천리안이 서비스를 시작했다. 1986년 서울에서 아시안게임이 열렸고, 해외 영화가 직배되기 시작했다. 1987년 언론기본법이 폐지됨에 따라 광고 시장이 개방되었으며 외국인 모델을 활용한 광고가 허용되었다. 1988년 『우먼센스』(서울문화사)가 창간했다. 같은 해 서울올림픽이 열렸다. 1989년 프랑스 패션 전문 교육기관인 에스모드의 서울 분교가 신사동 가로수길에서 개교했다. 같은 해 해외여행이 전면 자유화되었고, 롯데월드가 개장했으며 닌텐도에서 게임보이를 출시했다. SM엔터테인먼트의 전신인 SM기획이 창립되었다.

  1990년대는 강남의 사진 스튜디오와 프리랜서 사진가들의 시대였다. 1992년 김용호가 도프 앤 컴퍼니를, 같은 시기 조남룡과 허호가 데이라이트를 열었다. 1994년 패션

264-265쪽
김희준
마리끌레르
Marie Claire, 2020
모델: 신현지
에디터: 이세희
헤어: 조미연
메이크업: 원조연

사진가협회(KFPA)가 발족했다. 초대 회장은 이창남이었고
이후 김용호, 한홍일, 이건호, 김현성 등이 회장을 역임했다.
1990년대 초 맥슨 유무선 전화기 모델로 발탁된 김중만은
종종 압구정 한강 고수부지에서 사진 촬영을 했으며 안성진,
김현성, 조선희가 어시스턴트 역할을 자청했다. 1995년
안성진이 잼을 열었다. 김태은, 홍장현, 최용빈, 보리 등이
이곳에서 활동했다. 1997년 패션 사진가협회가 주최한
《패션아트》가 예술의전당에서 열렸다. 1998년에는 조선희가
조아조아를 시작했다. 『엘르』 창간 당시 외주 하우스
스튜디오는 H.M이었으며 『보그』는 정용선의 FeR이 화보를
담당했다. 이 시기에 활동을 시작한 사진가로 조남룡, 허호,
최금화, 권순평, 안성진, 오형근, 윤춘길, 한홍일, 김욱, 김상곤,
이경렬, 김현성, 조선희, 이전호, 권영호, 강영호, 윤준섭,

박경일, 김보하, 어상선 등이 있다. 한편, CK 캘빈클라인, 게스, 보이런던, 마리떼 프랑소와 저버, 겟유즈드, 휠라, 노티카 등 해외 패션 브랜드가 국내에 출시되었다. 베이직 진, 티피코시, 지오다노, 지브이투, 닉스, 292513=스톰, 쿨독, 시스템, 씨씨 클럽, 이엔씨, 무크, 쌈지, 주크, 나이스크랍 등이 등장했다. 1990년 서울패션아티스트협회(SFAA)의 컬렉션이 개최되었다. 같은 해 신세계인터내셔날이 해외 직수입 브랜드 사업을 시작했고, 갤러리아는 명품관을 개점했다. 월드와이드웹(WWW)이 발표 및 보급되기 시작했고 포토샵 1.0이 개발되었다. 1991년 루이비통이 신라호텔 아케이드에 입점했다. 1992년 국내 첫 라이선스지 『엘르』가 창간했고, 이후 『마리끌레르』, 『보그』, 『하퍼스 바자』, 『W』 등의 창간이 이어졌다. 같은 해 1회 한국 슈퍼모델 선발대회가 열렸고,

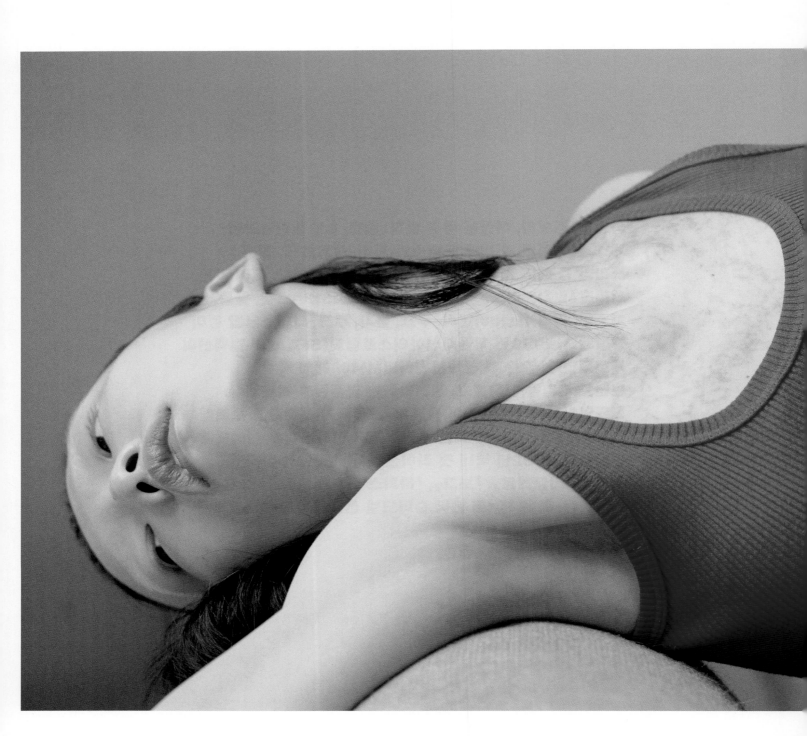

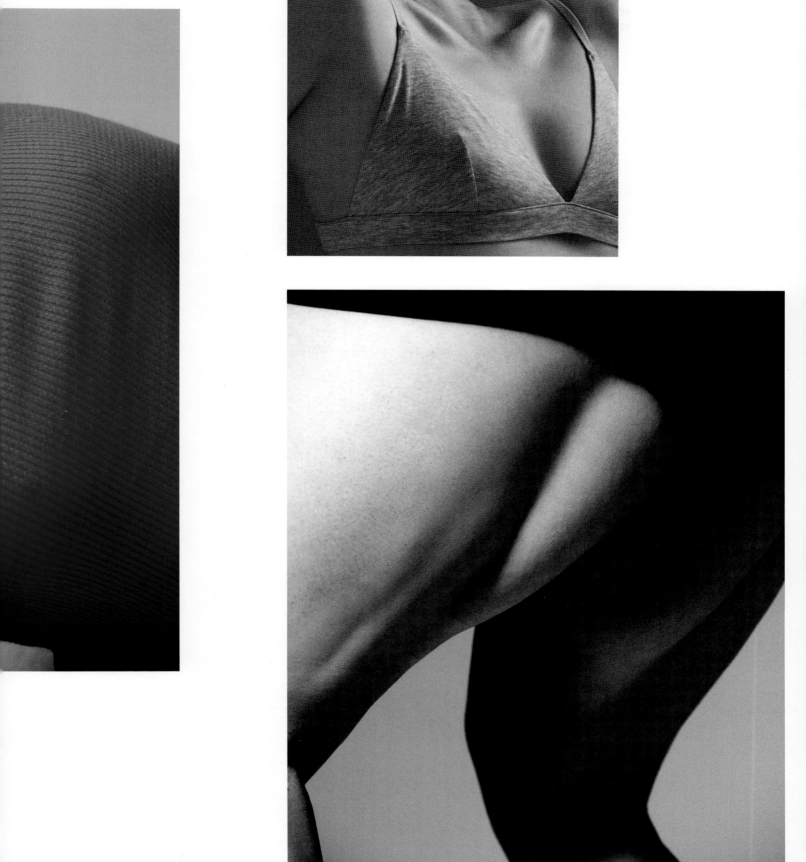

272쪽
윤송이
무제 Untitled, 2018
모델: 다정

273쪽 위
윤송이
무제 Untitled, 2017
모델: 선혜영

273쪽 아래
윤송이
보그 Vogue, 2020.11.
모델: 손영희
피처 에디터: 김나랑
패션 에디터: 남현지
헤어: 임안나
메이크업: 김미정, 문지원

이소라, 홍진경 등이 배출되었다. 서태지와 아이들이 〈난 알아요〉로 데뷔했다. 1993년 진태옥, 이신우, 홍미화, 이영희 등이 파리 컬렉션에 데뷔했다. 같은 해 영화 〈서편제〉가 100만 관객을 기록했다. 1994년 스트리트 페이퍼 『인서울매거진』, 영 패션 매거진 『쎄씨』가 창간했다. 이후 『신디더퍼키』, 『유행통신』, 『에꼴』 등이 연달아 등장하면서 김민희, 공효진, 배두나, 이나영, 이요원, 전지현 등이 표지 모델로 부상했다. 같은 해 홍진경이 아시아 최초 베네통 글로벌 모델이 되었다. 조르지오 아르마니가 청담동에 매장을 열었고, 국내 최초의 인터넷 상용 서비스가 시작되었다. 1995년 남성 패션 잡지 『에스콰이어』가 창간했고, 이후 『GQ』, 『로피시엘 옴므』 등이 등장했다. 같은 해 1인당 GDP가 1만 달러를 넘었다. 1996년 캐논이 디지털카메라 '파워샷 600'을 출시했다. 같은 해 한국은

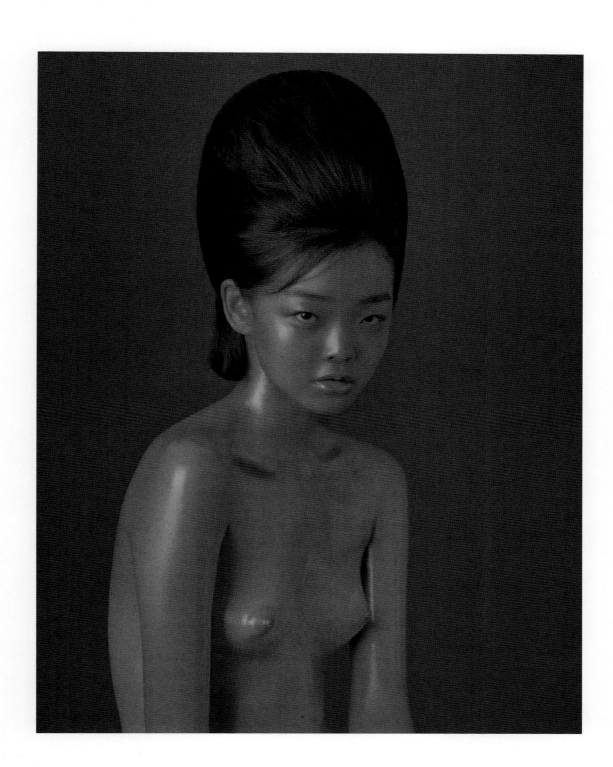

276쪽
장덕화
무제 Untitled, 2018
에디터·스타일리스트: 박연경

277쪽
장덕화
보그 Vogue, 2018.7.
모델: 메이
에디터·스타일리스트: 이주현
헤어: 이혜영
메이크업: 이나겸

OECD에 가입했다. 1997년 샤넬이 호텔신라 아케이드와
갤러리아 명품관에 매장을 열었다. 같은 해 한국은 IMF 외환
위기를 겪었다. 1998년 동대문 밀리오레가 영업을 시작했다.
같은 해 금강산 관광이 시작되었고 1차 일본 대중문화 개방이
이루어졌다. 1999년 초고속 인터넷이 대중화되기 시작했으며
SK텔레콤의 TTL 광고가 전파를 탔다.

2001년 국내 최초의 사진가 에이전시 코마가 문을 열었다.
2003년 안성진과 이전호가 신진 작가들과 공간 및 장비를
공유하는 허브를 지향하며 테오를 열었다. 2004년 김현성과
김태은이 UFO를 열었다. 목정욱, 곽기곤, 안상미 등이
이곳을 토대로 활동을 시작했다. 같은 해 홍장현과 최용빈이
용장관을 열었다. 김희준, 박종하 등이 홍장현 스튜디오에서
활동을 시작했다. 이듬해인 2005년에는 보트가 문을 열었다.

280-281쪽
김신애
퓨처 인 트랜싯 Future in
Transit, W, 2022.3.
모델: 유고, 배윤영, 마리
에디터: 이예진
헤어: 가베
메이크업: 최민석
리터쳐: 신지애

280-281쪽
김신애
퓨처 인 트랜싯 Future in
Transit, W, 2022.3.
모델: 유고, 배윤영, 마리
에디터: 이예진
리터쳐: 신지애

이 시기에 활동을 시작한 사진가로 이건호, 박지혁, 김지양, 김태은, 보리, 목나정, 홍장현, 최용빈, 오중석, 김제원, 강혜원, 김보성, 류형원 등이 있다. 한편, 2000년 『코스모폴리탄』이 등장했다. 같은 해 1회 서울컬렉션이 열렸다. 변정수가 한국 모델 최초로 해외 패션쇼(DKNY) 무대에 진출했다. 2002년 『보그걸』이 등장했다. 같은 해 동대문 패션타운이 관광특구로 지정되었고, 한일월드컵이 열렸다. 2003년 패션 인터넷 커뮤니티 '무신사'가 시작되었다. 같은 해 모델 에이전시 에스팀이 문을 열었다. 대표 김소연과 함께 장윤주, 송경아, 한혜진 등이 이곳에서 활동을 시작했다. 영화 〈실미도〉가 1000만 관객을 동원했다. 2007년 애플이 아이폰 1세대를 발표했고, 2008년 글로벌 금융 위기가 찾아왔다. 2009년 김현성이 『오보이!(OhBoy!)』를 창간했다.

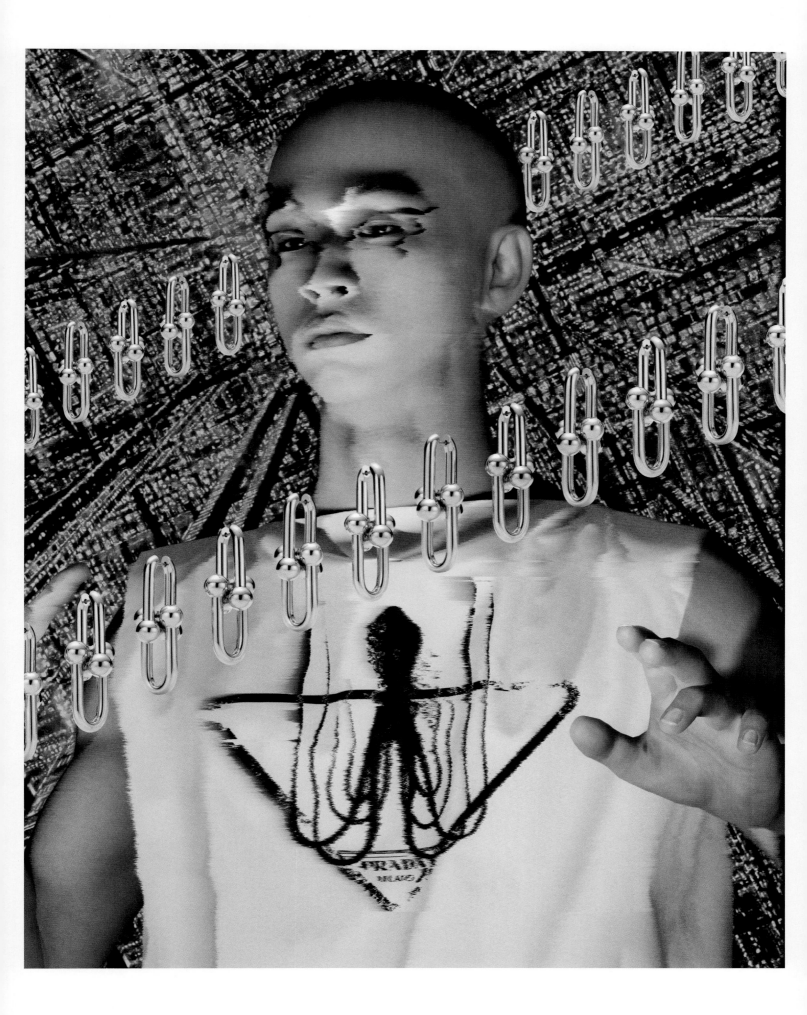

284-285쪽
김신애
퓨처 인 트랜싯 Future in
Transit, W, 2022.3.
모델: 유고, 배윤영, 마리
에디터: 이예진
헤어: 가베
메이크업: 최민석
리터쳐: 신지애

284-285쪽
김신애
퓨처 인 트랜싯 Future in
Transit, W, 2022.3.
모델: 유고, 배윤영, 마리
에디터: 이예진

2010년대는 한국 상업사진가의 해외 진출이 본격적으로
이루어지기 시작했다. 2015년 홍장현이 모델 수주와 함께
『누메로 프랑스』화보를 찍었고, 이듬해『보그 이탈리아』
액세서리 북 표지를 촬영했다. 『보그』스튜디오를 맡았던
강혜원은 2010년대 후반부터 뉴욕에서 활동을 이어갔다.
목정욱은 씨엘(CL)을 모델로 독일 잡지『032c』여름호
표지를 찍었다. 조기석은 2022년 1월호『보그 이탈리아』
표지를 담당했다. 해외 패션 브랜드와 해외로 진출한 한국
패션 브랜드가 한국 사진가들과 작업을 진행하는 일이
많아졌고, SNS 및 한국 엔터테인먼트 산업의 성장과 함께
해당 아티스트를 촬영한 사진가들이 주목받기 시작했다.
이 시기에 활동을 시작한 사진가로 목정욱, 김영준, 안주영,
신선혜, 장덕화, 고원태, 곽기곤, 김형식, 김희준, 레스, 안상미,

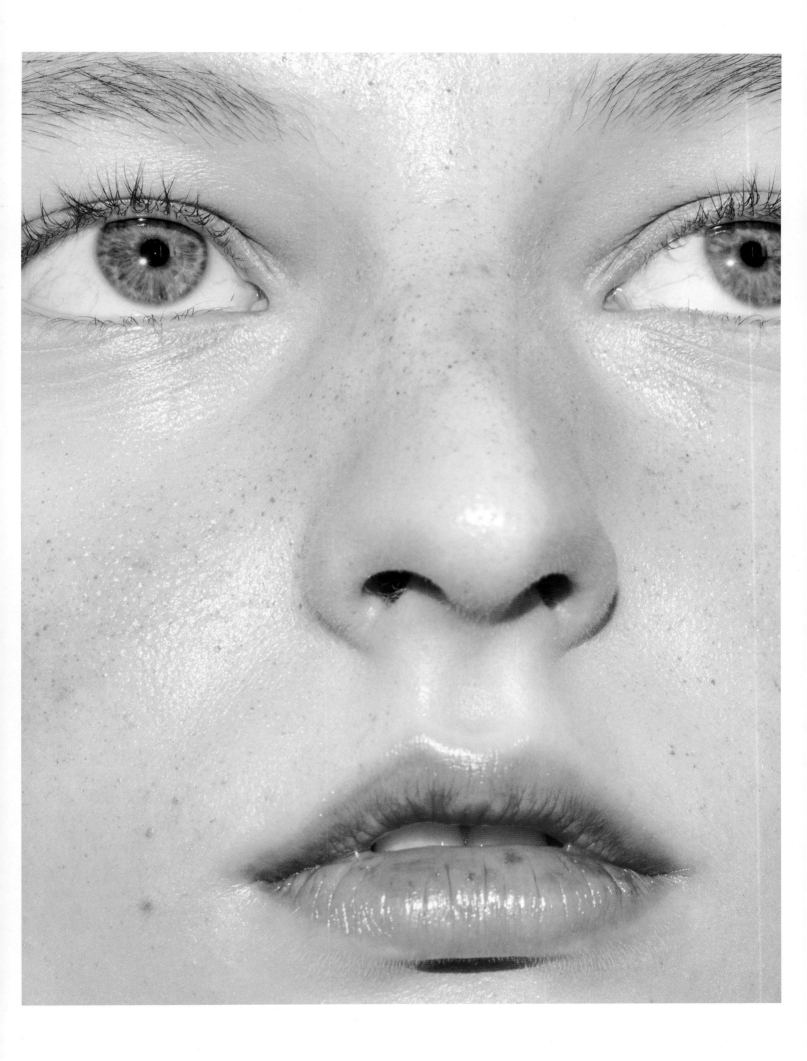

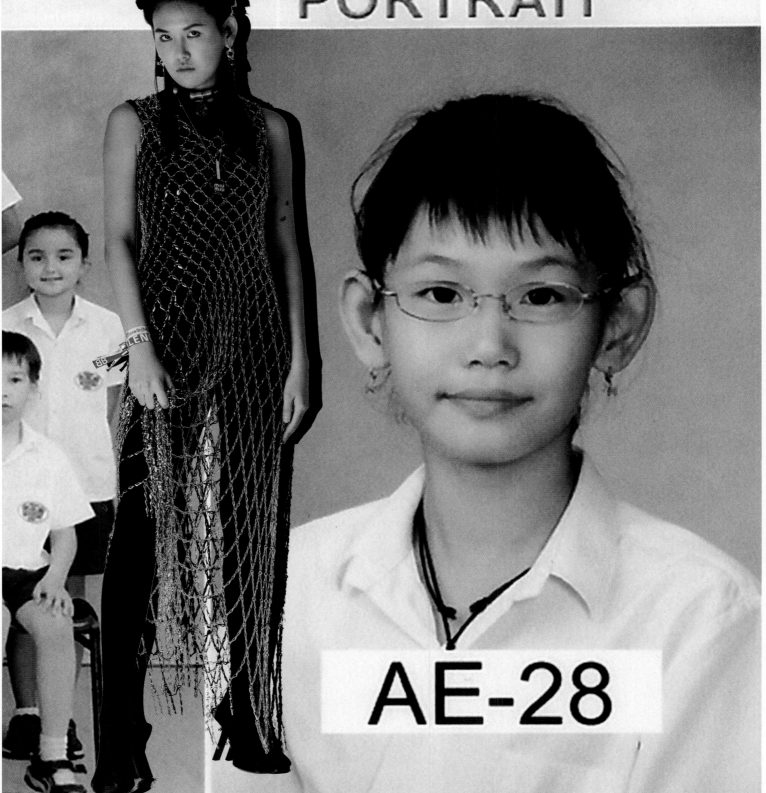

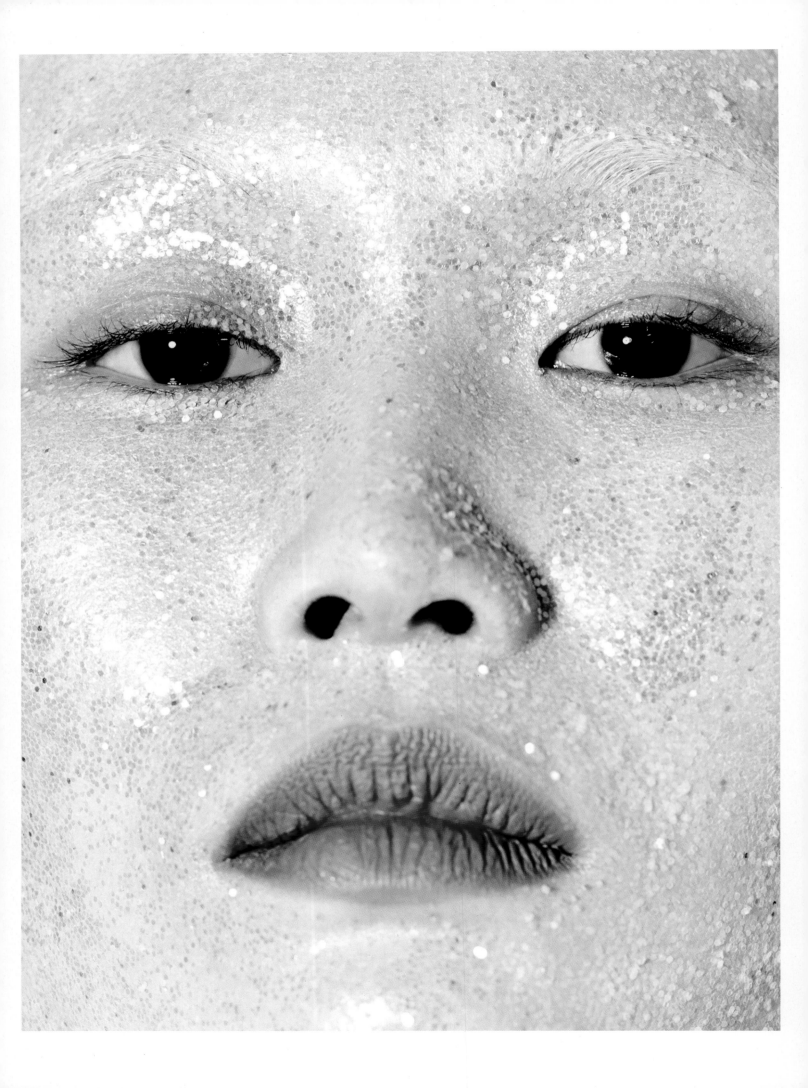

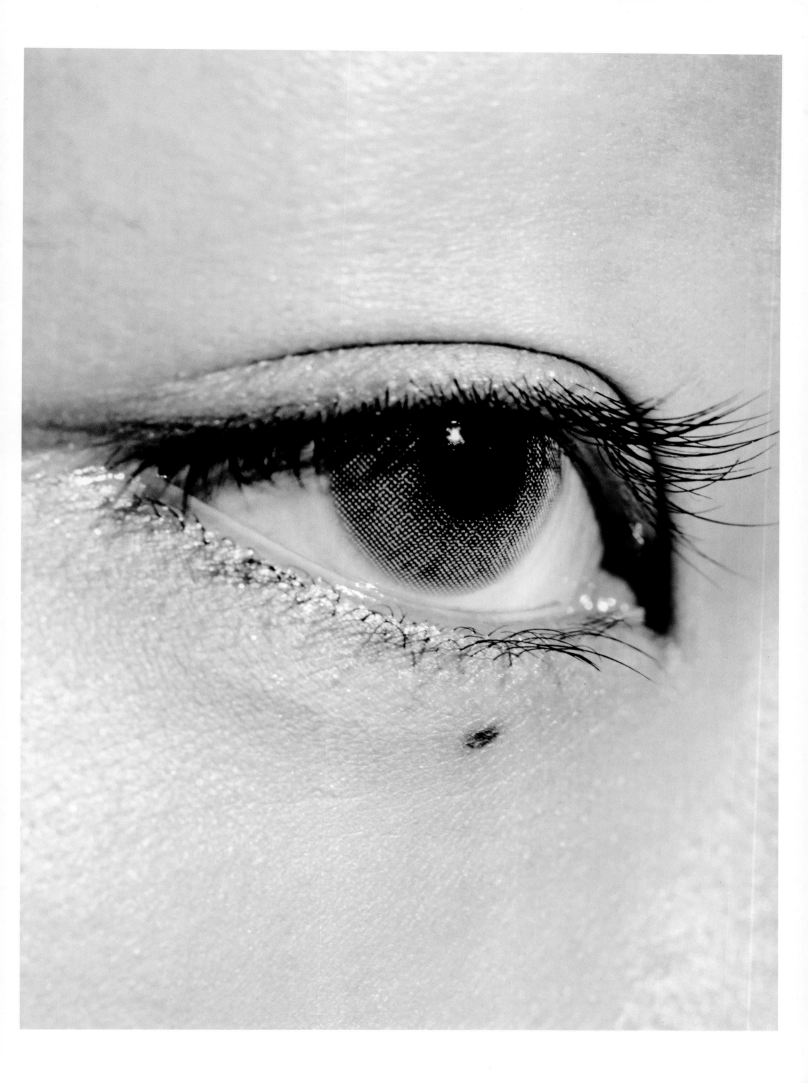

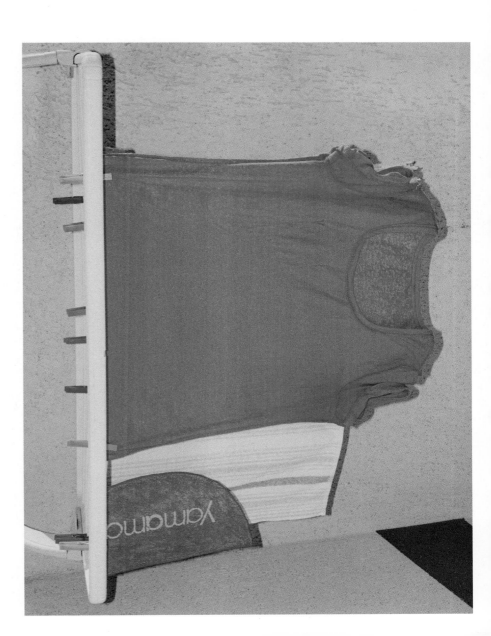

289쪽
신선혜
아밤 AVAM, 2022.3.
모델: 리아 아멜리에
스타일리스트: 김선영, 김지수
헤어: 김귀애
메이크업: 김신영

290-291쪽
신선혜
엘르 Elle, 2022.2.
모델: 김다영, 박조안
에디터: 이혜미
메이크업: 이숙경
헤어: 최은영

292-293쪽
김신애
더 빨리, 더 높이,
더 힘차게 '다 함께'
Faster, Higher, Stronger-
Together, W, 2021
모델: 이지
에디터: 김민지
헤어: 장혜연
메이크업: 이나겸
리터쳐: 신지애

294쪽, 295쪽 위
김신애
내가 어렸을 때 When I Was
Little, Elle, 2021.5.
모델: 이지, 정소현, 김별,
최아라, 윤보미
에디터: 이혜미
헤어: 최은영
메이크업: 유해수
리터쳐: 신지애

295쪽 아래
신선혜
엘르 액세서리
Elle Accessory, 2021.12.
에디터: 이혜미
세트: 베리씽즈

296-297쪽
김신애
내가 어렸을 때 When I Was
Little, Elle, 2021.5.
모델: 이지, 정소현, 김별,
최아라, 윤보미
에디터: 이혜미
헤어: 최은영
메이크업: 유해수
리터쳐: 신지애

298쪽
곽기곤
더블유 W, 2020.2.
모델: 이주원
에디터·스타일링: 김민지

299쪽
곽기곤
더블유 W, 2020.2.
모델: 박서희
에디터·스타일링: 김민지

300-301쪽
곽기곤
더블유 W, 2020.2.
모델: 김봉우
에디터·스타일링: 김민지

302쪽 위
신선혜
엘르 Elle, 2020.7.
에디터: 이혜미

302쪽 아래
신선혜
마리끌레르
Marie Claire, 2020.7.
모델: 이혜승
에디터: 이지민
헤어: 이혜영
메이크업: 원조연

303쪽
신선혜
엘르 Elle, 2020.7.
모델: 정호연
에디터: 이혜미
메이크업: 이숙경
헤어: 최은영

304쪽
곽기곤
블루 Blue, 2016
장소: 팜스프링스

305쪽
곽기곤
레드 Red, 2016
장소: 팜스프링스

306쪽
곽기곤
샹들리에 Chandelier, 2013
장소: 하와이

307쪽 위
곽기곤
실링팬 A Ceiling Fan, 2010
장소: 서울

307쪽 아래
곽기곤
빨래 Laundry, 2017
장소: 트로페아

308쪽 위
신선혜
무제 Untitled, 2022

308쪽 아래
신선혜
엘르 Elle, 2019.7.
모델: 정호연
에디터: 이혜미
헤어: 애슐리 로즈
메이크업: 스테파니 G-M

309쪽
신선혜
더블유 W, 2018.8.
모델: 이혜승
에디터: 김신
헤어: 김승원
메이크업: 이나겸
세트: 다락

310쪽
박지혁
박쥐 Thirst, 2009
모델: 김옥빈, 송강호
포스터 디자인: 꽃피는
봄이오면

311쪽
오형근
친절한 금자씨 Sympathy for
Lady Vengeance, 2005
모델: 이영애

312쪽
오형근
청연 Blue Swallow, 2005
모델: 장진영

313쪽
오형근
주홍글씨 The Scarlet
Letter, 2004
모델: 한석규, 이은주

윤송이, 박종하, 조기석, 김재훈, 김민태, 김신애, 윤지용 등이
있다. 2010년 박인욱, 조나단, 최종규가 thisisneverthat을
설립했고, 2012년에는 김민태가 합류했다. 한편, 2010년
《도전! 수퍼모델 코리아》가 방송을 시작해 2014년까지
방영되었다. 모델 장윤주와 김원중이 진행을 맡았으며
이지민, 진정선, 최소라, 신현지, 황기쁨이 우승했다. 같은
해 인스타그램이 서비스를 시작했다. 2012년 싸이의
〈강남스타일〉 뮤직비디오가 유튜브 조회 수 10억을 돌파했다.
2015년 넷플릭스가 한국에 진출했다. 2018년 방탄소년단이
빌보드 200에서 1위를 기록했으며, 같은 해 평창동계올림픽이
열렸다. 2020년 〈기생충〉이 비영어권 영화로는 처음 아카데미
작품상을 수상했다. 2021년 최소라가 『보그 이탈리아』 표지
모델로 등장했다. 같은 해 〈오징어게임〉이 넷플릭스에서 1억

316쪽
오형근
그때 그 사람들 The
President's Last Bang,
2005
모델: 백윤식, 한석규

317쪽
오형근
장화, 홍련 A Tale of Two
Sisters, 2003
모델: 김갑수, 문근영,
염정아, 임수정

가구 시청 기록을 세웠다. 2022년 정호연이 『보그 미국』 표지
모델로 등장했다.

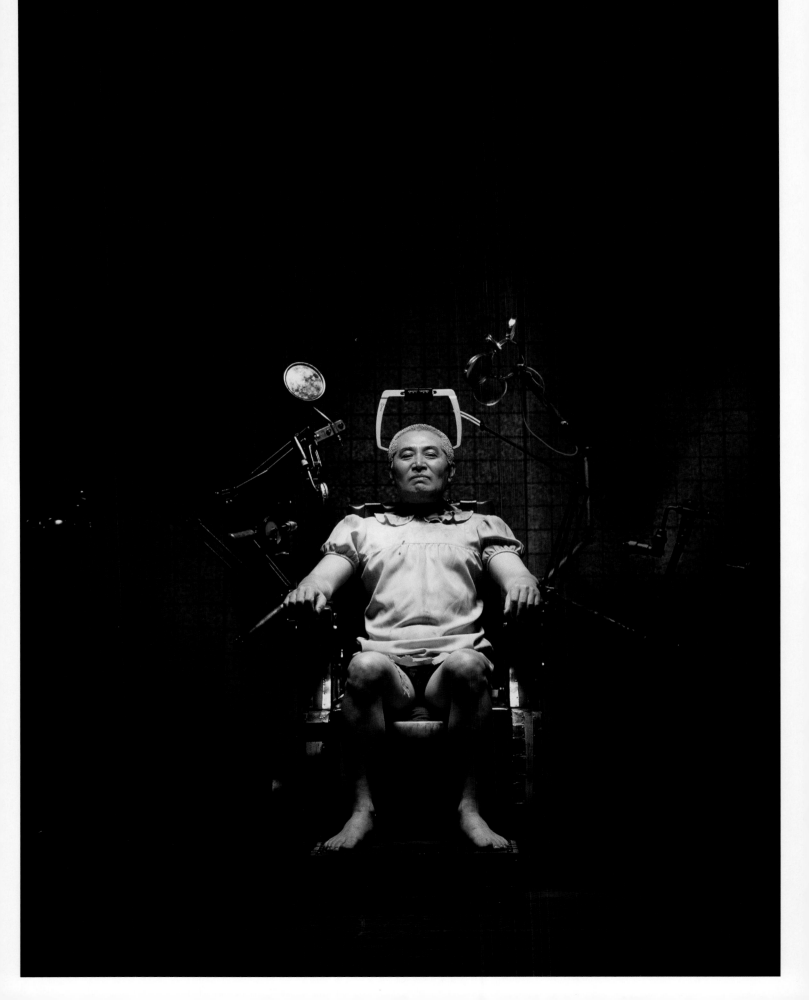

320쪽
오형근
지구를 지켜라 Save the
Green Planet, 2003
모델: 백윤식

321쪽
오형근
섬 The Isle, 2000
모델: 서정

320쪽
오형근
지구를 지켜라 Save the
Green Planet, 2003
모델: 백윤식

321쪽
오형근
섬 The Isle, 2000
모델: 서정

작가 소개

324쪽
오형근
공동경비구역 JSA
Joint Security Area, 2000
모델: 송강호, 이병헌, 이영애

325쪽
오형근
조용한 가족
The Quiet Family, 1998
모델: 고호경, 나문희, 박인환,
송강호, 이윤성, 최민식

구본창(b.1953)은 연세대학교에서 경영을, 함부르크
조형미술대학에서 사진디자인을 전공했다. 1987년 알렉시오를
시작으로 에스콰이아, 논노 등의 브랜드 카탈로그와 이영희
한복, 진태옥 프랑소와즈, 이신우 오리지널리 등의 디자이너
화보를 촬영했다. 한국의 미의식을 드러낸 〈탈〉(2002)과
〈백자〉(2004) 연작을 포함, 2001년 삼성 로댕갤러리,
2010년 필라델피아 미술관 등에서 개인전을 열었다.

김영수(b.1953)는 브룩스 인스티튜트에서
포토일러스트레이션을, 오하이오 대학교에서 광고사진을
전공했다. 뉴욕 루이스 쥬라도 스튜디오를 거쳐 1984년
한화그룹의 한컴스튜디오에서 실장을 역임, 1988년 스튜디오
416을 설립해 2014년까지 운영했다. 1996년부터 담당한

오형근
접속 The Contact, 1997
모델: 전도연, 한석규

에스콰이아 광고를 비롯, 다양한 국내 패션 브랜드의
카탈로그를 촬영했다. 2007년 성곡미술관에서 개인전
《김영수: 장을 보다》를 열었다.

김용호(b.1956)는 1992년 도프 앤 컴퍼니를 설립했으며,
청담동 스튜디오 건물에 벨 에포크 시대의 살롱 문화를 표방한
'카페 드 플로라'와 와인 바 'A.O.C'를 열었다. 1990년대
무크, 시스템, 엘칸토 등의 카탈로그 사진을 촬영했다. 2009년
루이비통과 페리에 주에 광고를, 2012년 현대카드 광고를
제작했다. 2008년 대림미술관, 2017년 광주시립미술관
등에서 개인전을 열었다.

김중만(1954-2022)은 프랑스 니스 국립응용미술대학을

332쪽
안성진
클론 1집 〈아 유 레디?〉
Clon's 1st album *Are You
Ready?*, 1996
모델: 클론
장소: 잼스튜디오

333쪽 위
안성진
듀스 2.5집 〈리듬 라이트
비트 블랙〉, DEUX's 2.5th
album *Rhythm Light Beat
Black*, 1994

333쪽 아래
안성진
듀스 2.5집 〈리듬 라이트
비트 블랙〉, DEUX's 2.5th
album *Rhythm Light Beat
Black*, 1994
모델: 듀스
장소: 카페 바클, 서울

332쪽
안성진
클론 1집 〈아 유 레디?〉
Clon's 1st album *Are You
Ready?*, 1996
모델: 클론
장소: 잼스튜디오

333쪽 위
안성진
듀스 2.5집 〈리듬 라이트
비트 블랙〉, DEUX's 2.5th
album *Rhythm Light Beat
Black*, 1994

333쪽 아래
안성진
듀스 2.5집 〈리듬 라이트
비트 블랙〉, DEUX's 2.5th
album *Rhythm Light Beat
Black*, 1994

졸업했다. 1980년대에 본격적으로 국내 활동을 시작했고
2011년 벨벳언더그라운드를 설립했다. 1983년 『멋』과
1984년 『월간 멋』 표지 화보를 시작으로 1984년 〈고래사냥〉,
김현식의 유작 앨범 등 기념비적인 작품들을 남겼다. 〈괴물〉,
〈타짜〉, 〈달콤한 인생〉 등의 영화 포스터를 비롯 다양한
패션 화보를 촬영했다. 김중만은 1976년 프랑스 오늘의
사진가 80인에 최연소 선정되었으며, 1977년 프랑스 아를
국제사진페스티벌에서 젊은 작가상을 수상했다.

김현성(b.1969)은 아카데미 오브 아트를 졸업했다. 조소과
재학 시절 김중만의 어시스턴트로 사진 일을 시작, 1996년
유학에서 돌아온 후 개인 스튜디오 앰비언트를 열었다.
2004년 UFO를 설립했으며 2009년 환경과 동물 복지를

336쪽
안성진
김성재 솔로 앨범 〈말하자면〉
Kim Sungjae's solo album
If I Had to Say, 1995
모델: 김성재
장소: 샌프란시스코 해안도로

337쪽
안성진
김성재 솔로 앨범 〈말하자면〉
Kim Sungjae's solo album
If I Had to Say, 1995
모델: 김성재
장소: 할리우드 대로

안성진
김성재 솔로 앨범 〈말하자면〉
Kim Sungjae's solo album
If I Had to Say, 1995
모델: 김성재

안성진
김성재 솔로 앨범 〈말하자면〉
Kim Sungjae's solo album
If I Had to Say, 1995
모델: 김성재
장소: 할리우드 대로

다루는 패션 문화 잡지 『오보이!(OhBoy!)』를 창간했다.

안성진(b.1967)은 중앙대학교에서 연극영화를 전공했다.
1995년 잼을 설립했으며, 2003년 이전호와 테오를
열었다. 듀스, 클론 등 1990년대 뮤지션과 월간 윤종신
등 다수의 앨범 및 영화 포스터를 촬영했다. 삼성, LG,
모토로라, 퓨마, 아디다스, 르카프, 라네즈, 더페이스샵 등
브랜드 광고에 참여했으며, 『에스콰이어』(2005-2010),
『누메로』(2009-2010)에서 비주얼 디렉터로 활동했다.

오형근(b.1963)은 브룩스 인스티튜트와 오하이오
예술대학교에서 사진을 전공했다. 다큐멘터리 사진가로
활동을 시작해 〈아줌마〉(1997-1999) 등의 초상 연작을

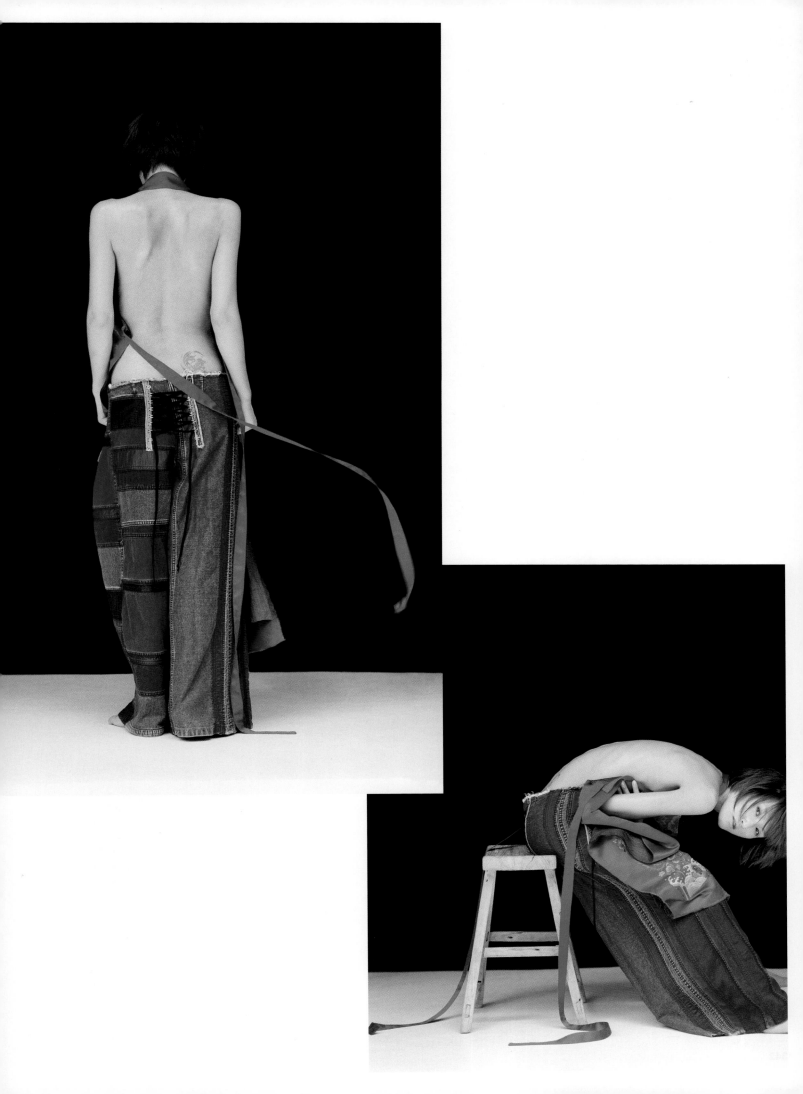

340-341쪽
구본창
디자이너 진태옥 아트북
『비욘드 네이처』
Beyond Nature
written by Jinteok, 2004
모델: 노선미
스타일리스트: 서영희

구본창
디자이너 진태옥 아트북
『비욘드 네이처』
Beyond Nature
written by Jinteok, 2004

제작했다. 패션 잡지 에디토리얼을 비롯, 〈접속〉, 〈친절한
금자씨〉, 〈공동경비구역 JSA〉, 〈쉬리〉, 〈추격자〉 등
다수의 영화 포스터를 촬영했다. 일민미술관(2004)과
아트선재센터(2020)에서 개인전을 열었고 2005년 베니스
비엔날레 한국관 전시에 참여했다.

조선희(b.1971)는 연세대학교 의생활학을 전공하고 김중만의
어시스턴트를 거쳐 1998년 조아조아를 설립했다. 주요 패션
잡지의 에디토리얼과 지오다노를 비롯, SK-II, 나이키, RADO
등의 글로벌 광고, 〈써니〉, 〈건축학개론〉, 〈동주〉, 〈관상〉 등의
영화 포스터를 촬영했다. 2003년 세계패션그룹한국협회
패션저널리스트상 사진 부문, 2009년 『하퍼스 바자』
선정 올해의 포토그래퍼상, 2012년 『엘르』 선정 공헌상을

수상했으며, 2022년 뉴스프링프로젝트에서 개인전 《姬: 나의 우주다》를 열었다.

강혜원(b.1972)은 브룩스 인스티튜트와 아카데미 오브 아트에서 사진을 전공했다. 2006년부터 9년간 『보그』의 포토 스튜디오를 이끌었다. 한국 모델이 『보그』 표지에 본격적으로 등장하기 시작한 2000년대 후반부터 대부분의 표지 촬영을 맡았다. 『보그』, 『보그걸』, 『W』, 『GQ』 등의 에디토리얼과 아모레퍼시픽, 세포라, SK-II 등의 브랜드를 촬영했다.

김보성(b.1974)은 중앙대학교에서 사진을, 뉴욕대학교에서 비디오아트를 전공했다. 2016년에 플레이 스튜디오를, 2018년에 믹스테이지를 설립했다. 『보그』, 『그라치아』, 『GQ』

등 주요 패션 잡지사의 하우스 사진가로 활동했으며 2006년
아레나-아우디 블랙칼라워커 어워즈 크리에이티비티 분야,
2012년 세계패션그룹한국협회 선정 올해의 포토그래퍼상을
수상했다. 『레드 카탈로그』(2018)와 『인비저블 스킨』
(2021)을 출간했다.

김태은(b.1974)은 이탈리아 파인아트 사진학교를 졸업했다.
잼에서 활동했으며, 2005년 김현성의 UFO에 합류했다.
2004년 『하퍼스 바자』의 이탈리아 장동건 화보와 일본에서
출간된 원빈 화보집으로 주목받기 시작했다. 『W』, 『엘르』,
『보그』 등 다수의 에디토리얼을 진행했으며, 2017년
세계패션그룹한국협회 선정 패션 포토그래퍼상을 수상했다.

352-353쪽
김중만
닉스 화보 NIX Catalog,
2004

목나정(b.1971)은 서울예술대학교와 뉴욕 스쿨 오브
비주얼아트에서 사진을 전공했다. 2002년 『보그』로 데뷔한
뒤 2008년부터 2017년까지 『나일론』의 포토 디렉터를
맡았다. 『하퍼스 바자』, 『엘르』, 『GQ』, 『데이즈드』의 패션
화보, 현대카드, 조니워커, 소니 G 마스터, 삼성 갤럭시 S8
등의 광고를 촬영했다.

박지혁(b.1969)은 런던 골드스미스 칼리지에서 사진을
전공했다. 2000년 박기숙과 둘 스튜디오를 설립했다. 『보그』,
『W』, 『에스콰이어』 등 다수의 에디토리얼과 삼성 갤럭시
S6, LG 디오스, 카스 등의 브랜드, 〈박쥐〉, 〈암살〉 등의 영화
포스터, 〈고요의 바다〉, 〈인간수업〉 등의 넷플릭스 드라마
포스터를 촬영했다. 2003년 『하퍼스 바자』 선정 올해의

356-357쪽
구본창
보그 Vogue, 2002.12
모델: 장경란
스타일리스트: 서영희
협조: 가산 오광대

구본창
보그 Vogue, 2002.12
모델: 장경란
스타일리스트: 서영희
협조: 가산 오광대

포토그래퍼상을 수상했으며, 국립현대미술관, 성곡미술관 등에서 열린 전시에 참여했다.

이건호(b.1968)는 중앙대학교에서 사진을 전공한 뒤 조세현을 사사, 디자인 하우스 사진부를 거쳐 2000년 달 스튜디오를 설립했다. 『W』, 『마리끌레르』, 『보그』 등의 에디토리얼과 다양한 브랜드 광고에 참여했다. 2002년 세계패션그룹한국협회 올해의 패션기자상, 2007년 『하퍼스 바자』 올해의 포토그래퍼상 등을 수상했다.

홍장현(b.1976)은 경일대학교에서 사진영상을 전공했다. 2003년 최용빈과 용장관을 설립했으며, 2019년 코업닷을 열었다. 『엘르』, 『데이즈드』, 『GQ』, 『누메로 네덜란드』,

360쪽
안성진
쿨독 화보 COOLDOG
Catalog, 1999
모델: 웬트워스 밀러
장소: 런던

361쪽
안성진
보이밋걸 화보
B+G Catalog, 1997
모델: 장윤주
장소: 한강 둔치

『롤링스톤』 등 국내외 패션 잡지의 에디토리얼과 준지, 쇼멧 등의 브랜드를 촬영했다. 2006년 『하퍼스 바자』 선정 올해의 포토그래퍼상을 수상했으며, 2018년 개인전 《아는 사람》을 비롯, 다수의 기획전에 참여했다.

고원태(b.1990)는 중앙대학교에서 사진을 전공했다. 목정욱의 어시스턴트를 거쳐 현재 윤지용과 함께 자신의 스튜디오를 운영하고 있다. 『로피시엘 옴므』, 『보그』, 『에스콰이어』, 『코스모폴리탄』 등 다수의 에디토리얼과 루이비통, 키르시, 준지, 시스템, 프론트로우, 나이키, 아디다스, 휠라, 뉴발란스, 코오롱스포츠 등의 브랜드, 갤럭시 X BTS, 네이버, 넷플릭스 등의 프로모션을 촬영했다.

364쪽
안성진
보이밋걸 화보 B+G Catalog
장소: 안면도

365쪽
안성진
보이밋걸 화보 B+G Catalog
장소: 안면도

364쪽
안성진
보이밋걸 화보 B+G Catalog
장소: 안면도

365쪽
안성진
보이밋걸 화보 B+G Catalog
장소: 안면도

곽기곤(b.1987)은 계원예술대학교에서 사진을 전공하고
UFO에서 활동했다. 『보그』, 『W』, 『아레나 옴므』 등 다수의
에디토리얼과 〈변산〉, 〈가장 보통의 연애〉, 〈남산의 부장들〉
등의 영화 포스터, NCT DREAM, 트와이스, 엑소 등의 앨범
커버를 촬영했다. 기획전《의미 있는 일》(2013)과《1610
PROJECT》(2015)에 참여했으며, 2019년 N/A 갤러리에서
개인전《PIECES》를 열었다.

김민태(b.1986)는 국민대학교에서 의상디자인을 전공했다.
2012년 thisisneverthat에 합류했다. 필름 카메라를 활용한
뉴빈티지 스타일, 유스 문화의 가시화에 관심이 있다. 컨버스,
뉴발란스, 반스, 지샥, 크록스 등의 브랜드를 촬영했다.

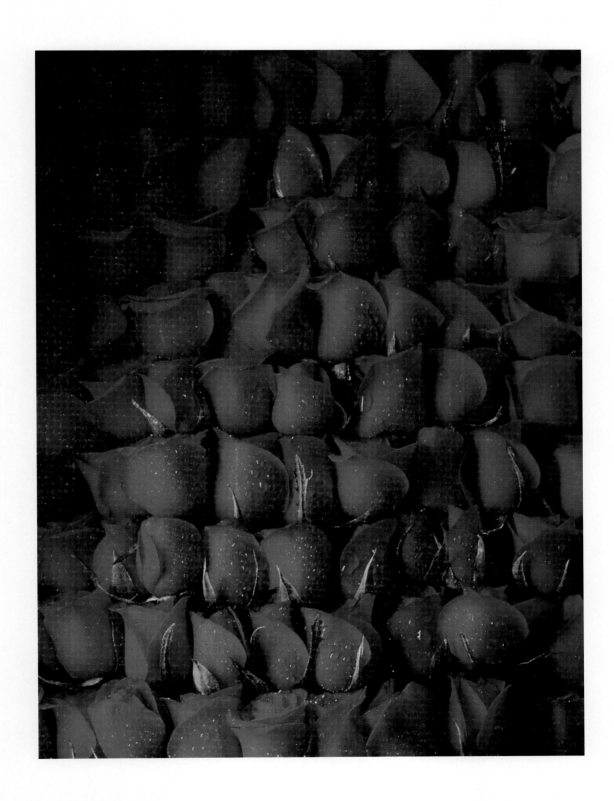

368–369쪽
김영수
에스콰이아 달력 Esquire
Calendar, 1998, 스캔본

김신애(b.1990)는 서울예술대학교에서 사진을 전공했다.
김형식의 어시스턴트로 활동을 시작했다. 포토콜라주 기법을
응용해 디지털 환경에서 3D 이미지를 조합하고 합성한다.
『W』,『엘르』,『에스콰이어』등 다수의 에디토리얼을 진행했다.

김형식(b.1979)은 중앙대학교에서 사진을 전공했으며,
테오 에이전시 소속이다.『W』,『아레나 옴므』,『GQ』
등의 에디토리얼에 참여했으며, 2014년 패션 브랜드
구호의 '3 트로이카 캠페인'에 참여했다. 2014년 개인전
《Distortion》(토탈미술관)을 비롯, 대안공간 루프, 서울시립
북서울미술관, 한미사진미술관 등에서 다양한 전시에
참여했다.

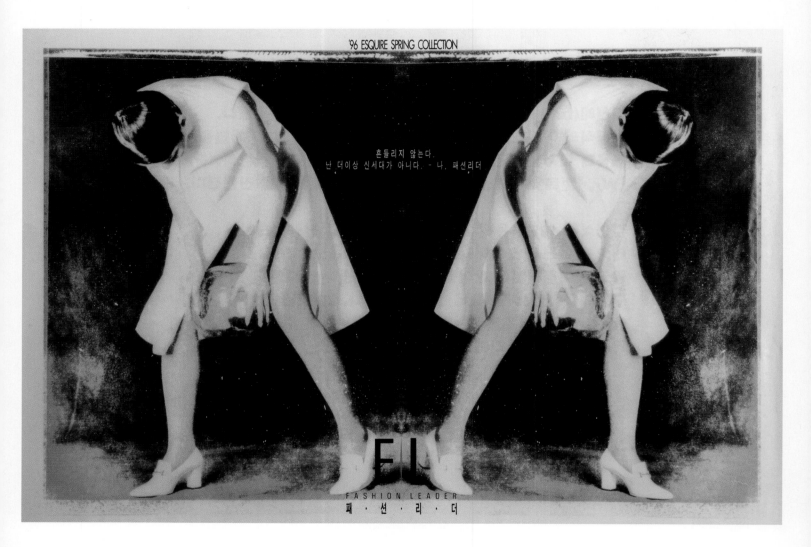

372쪽
구본창
패션리더 브랜드 브로마이드
FL Brand Bromide, 1996

373쪽
김중만
이영희 화보 Lee Young-Hee
Catalog, 1996, 스캔본

김희준(b.1985)은 홍익대학교에서 시각디자인을 전공한 뒤
홍장현의 어시스턴트를 거쳐 코업닷 소속으로 활동 중이다.
『W』,『보그』,『엘르』 등 에디토리얼을 비롯, 입생로랑, 디올,
아디다스 등의 브랜드, 블랙핑크의 앨범 및 국내외 화보, 선미
앨범 커버 등을 촬영했다.

레스(b.1978)는 중앙대학교에서 사진을 전공했다. '레스'는
김태균이 2004년부터 사용해 온 활동명이다.『보그』,
『데이즈드』,『GQ』 등의 에디토리얼과 아디다스, 현대자동차,
현대카드 등의 브랜드를 촬영했다. 동료들과 사진가 콜렉티브
리플렉타를 결성해 〈zine night〉 등의 활동을 꾸리고 있다.
2019년 개인전 《레스: 로우틴스타》(대안공간 루프)를 비롯,
갤러리2, 갤러리 팩토리 등에서 다양한 전시에 참여했다.

376쪽
김영수
에스콰이아 컬렉션
Esquire Collection, 1994,
라이트 페인팅

377쪽
김영수
에스콰이아 컬렉션
Esquire Collection, 1990

376쪽
김영수
에스콰이아 컬렉션
Esquire Collection, 1994,
라이트 페인팅

377쪽
김영수
에스콰이아 컬렉션
Esquire Collection, 1990

목정욱(b.1980)은 런던 커뮤니케이션 칼리지와 런던
예술대학에서 사진을 전공했으며, UFO에서 어시스턴트로
활동을 시작했다. 『W』, 『엘르』, 『GQ』 등의 국내외 패션
잡지 에디토리얼을 비롯, 준지, COS, 프라다, 발렌티노, 디올
코스메틱, 아디다스 등의 브랜드와 〈거인〉 영화 포스터를
촬영했다.

신선혜(b.1979)는 중앙대학교에서 사진을 전공했다. 2004년
정용선이 설립한 FeR에서 활동을 시작했으며 이후 밀라노
사진전문학교에서 공부한 후 현재 코업닷 소속으로 활동하고
있다. 『W』, 『엘르』, 『마리끌레르』, 『하퍼스 바자』 등의
에디토리얼과 BTS 빌보드 매거진, 제니, NCT 등의 앨범

380쪽
구본창
이영희 화보 Lee Young-Hee
Catalog, 1993
모델: 이기린
아트 디렉션: 킴벌리안 CO

381쪽
구본창
이영희 화보 Lee Young-Hee
Catalog, 1993
모델: 경주 양동마을
현지 어린이들
아트 디렉션: 킴벌리안 CO

알렉산더맥퀸, 까르띠에, 티파니, 랑콤, 헤라, 불가리, 삼성카드,
COS 등과 일했다.

윤송이(b.1992)는 상명대학교에서 사진을 전공, 목정욱의
어시스턴트를 거쳐 『에스콰이어』 화보로 데뷔 후 다수의
패션지 에디토리얼을 촬영했다. 방탄소년단을 비롯, 하이브,
SM, JYP 등에 소속된 케이팝 아티스트의 앨범 커버와 국내외
화보에 참여했다.

윤지용(b.1991)은 중앙대학교에서 사진을 전공했다. 목정욱의
어시스턴트를 거쳐 현재 고원태와 함께 자신의 스튜디오를
운영하고 있다. 블랙핑크 리사, 에스파 등 한국을 대표하는
케이팝 아이돌의 앨범 커버를 촬영했다. 『팝』, 『보그 홍콩』,

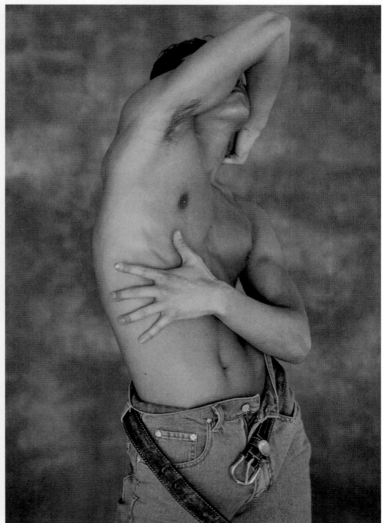

388쪽
김용호
엘칸토 화보 ELCANTO
Catalog, 1993

389쪽
김용호
베이직 진 Basic Jean,
1993, 스캔본

『프레스티지』,『글래스』 등 해외 매체와 작업을 이어오고 있다.
펜디, 디올, 루이비통 등 럭셔리 브랜드의 인스타그램을 통해
사진이 소개되었다.

장덕화(b.1985)는 도쿄 비주얼아트 전문학교에서 패션
사진을 전공했다. 조선희의 어시스턴트를 거쳐 2012년 활동을
시작했다.『더 퍼펙트』,『누메로 네덜란드』,『누메로 일본』,
『보그 일본』,『푸스푸스』 등 해외 패션 잡지의 에디토리얼에
참여했으며, 구찌, 나이키, 아디다스, 삼성 등의 브랜드와
박재범, 크러쉬, BTS, 선미, 트와이스 등의 앨범 커버를
촬영했다.

392쪽
구본창
울티모 화보
Ultimo Catalog, 1992

393쪽
김영수
에스콰이아 포트폴리오
Esquire Portfolio, 1991

일민시각문화 11

『언커머셜:
한국 상업사진, 1984년 이후』

396쪽
김용호
무크 Mook, ca.1990s
모델: 정상인

397쪽 위
김용호
시스템 화보 System
Catalog, 1991

397쪽 아래
김용호
시스템 화보 System
Catalog, 1990

언커머셜:
한국 상업사진, 1984년 이후

발행일: 2023년 5월 26일

발행인: 김태령
발행처: 일민미술관, 워크룸 프레스
글: 이미혜
편집: 윤지현, 박활성
감수: 일민시각문화 편집위원회
사진: 강혜원, 고원태, 곽기곤, 구본창, 김민태, 김보성, 김신애, 김영수, 김용호, 김중만, 김태은, 김현성, 김형식, 김희준, 레스, 목나정, 목정욱, 박지혁, 신선혜, 안상미, 안성진, 안주영,

오형근, 윤송이, 윤지용, 이건호, 장덕화, 조선희, 홍장현
자료 협조: 동아일보, Arena Homme Plus, AVAM,
CJ ENM, Dazed, Elle, Esquire, FASSION, GQ,
Harper's Bazaar, Holiday Magazine, Marie Claire,
Numéro Russia, OhBoy!, thisisneverthat, Vogue,
W, 032c
디자인: 워크룸 프레스
제작: 효성문화

404쪽
김영수
에스콰이아 컬렉션
Esquire Collection, 1990

405쪽
김영수
에스콰이아 포트폴리오
Esquire Portfolio, 1989

사용할 수 없습니다.
이 책은 일민미술관에서 열린 전시《언커머셜
(UNCOMMERCIAL): 한국 상업사진, 1984년 이후》와
연계하여 발간되었습니다.

ISBN 979-11-89356-95-8 (03660)
50,000원

408쪽
구본창
에스콰이아 화보
Esquire Catalog, 1989

409쪽
구본창
알렉시오 화보
Alexio Catalog, 1987
모델: 안도일, 이석

《언커머셜(UNCOMMERCIAL):
한국 상업사진, 1984년 이후》

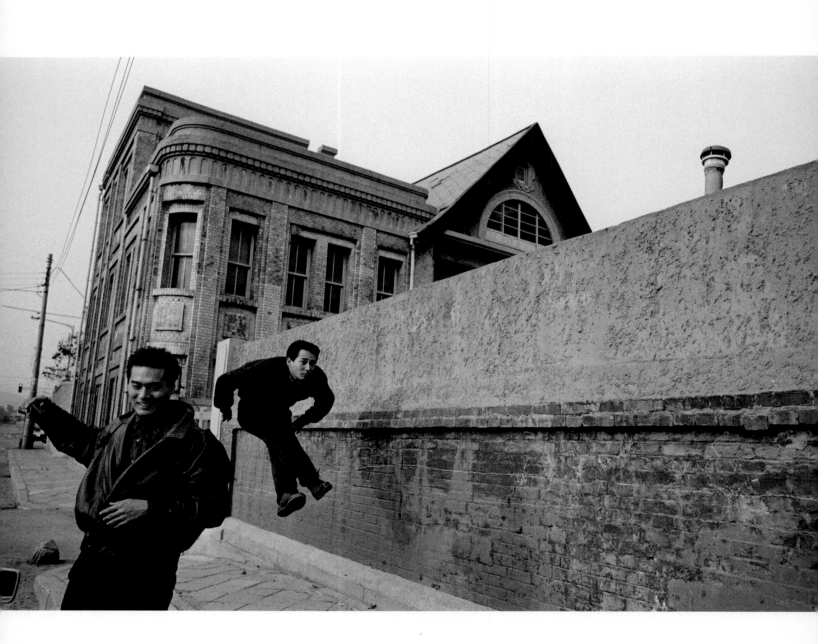

412–413쪽
구본창
알렉시오 화보
Alexio Catalog, 1987
모델: 안도일, 이석

언커머셜(UNCOMMERCIAL):
한국 상업사진, 1984년 이후
2022. 4. 8. – 6. 26.
일민미술관 1, 2, 3전시실 및 프로젝트 룸

주최: 일민미술관
후원: 캐논코리아, 한국문화예술위원회, 현대성우홀딩스
참여 작가: 강혜원, 고원태, 곽기곤, 구본창, 김민태, 김보성,
김신애, 김영수, 김용호, 김중만, 김태은, 김현성, 김형식,
김희준, 레스, 목나정, 목정욱, 박지혁, 신선혜, 안상미, 안성진,
안주영, 오형근, 윤송이, 윤지용, 이건호, 장덕화, 조선희,
홍장현

416-417쪽
김용호
하리케인 가을 컬렉션
Hurricane FW Collection,
1985, 스캔본

관장: 김태령
책임기획: 윤율리
기획: 최혜인, 백지수, 윤지현
진행: 김진주, 유현진, 한수진, 장서영
홍보: 최윤희, 박세희
도움: 장수미
행정 및 관리: 최유진, 신영원, 신혜준, 정이선

협력 기획: 이미혜
특별전 기획: 한금현
협업: thisisneverthat
그래픽디자인: 워크룸
미디어월: 페이퍼프레스

420-421쪽
『월간 멋』 *The Wolgan MoT*,
1984.5. 창간호-1993.3.,
스캔본
자료 제공: 동아일보

424쪽
홍장현
2018, JUUN.J FW
2018-19, 2018
모델: 신현지
스타일링: 준지
헤어: 강현진
메이크업: 원조연

공간조성: 포스트스탠다즈
운송설치: 현대ADP
번역: 김지선
도슨트: 배일동, 옥선희